女性に贈ることば
365日

池田大作

海竜社

女性に贈ることば365日

貴女《あなた》よ！
貴女《あなた》らしい
美《うつく》しい地図《ちず》と
幸福《こうふく》の設計図《せっけいず》を
愉快《ゆかい》につくりたまえ！

日々《ひび》に
幸福《こうふく》の命運《めいうん》を
積《つ》み重《かさ》ねながら
勇敢《ゆうかん》に生《い》き抜《ぬ》くことだ。

小《ちい》さな心《こころ》に
悪意《あくい》をもちながら
何《なん》の目的《もくてき》もなく
流離《さすら》い歩《あゆ》む日々《ひび》は
なんと空《むな》しいことか。

貴女《あなた》は
悲嘆《ひたん》にくれた
時間《じかん》を乗《の》り越《こ》えて
何《なに》ものにも抑《おさ》えられぬ
高貴《こうき》な魂《たましい》を
輝《かがや》かせていくのだ。

友《とも》よ
わが友《とも》よ！
止《とど》まることなく
闇《やみ》のなかを通《とお》り抜《ぬ》けて
独自《どくじ》の広々《ひろびろ》とした
生《い》き甲斐《がい》に燃《も》えゆく世界《せかい》を
叩《たた》き開《ひら》いていくのだ。

もっとも価値《かち》ある
人生《じんせい》の正道《せいどう》を選《えら》び
踏《ふ》み外《はず》さぬ
堅実《けんじつ》な一歩《いっぽ》一歩《いっぽ》で

あらねばならない。
一日一日《いちにちいちにち》で
あらねばならない。

小《ちい》さなわが家《や》は
その日《ひ》その日《ひ》を
完全《かんぜん》なる更新《こうしん》の日々《ひび》として
偉大《いだい》なる詩人《しじん》の如《ごと》く
誠実《せいじつ》な人間《にんげん》の歴史《れきし》を
つくり残《のこ》していくのだ。

目次

写真　池田大作

一月

一月一日

皓々《こうこう》と輝《かがや》きを増《ま》し満《み》ちゆく月《つき》の如《ごと》く、また、刻々《こくこく》とみなぎりゆく大海原《おおうなばら》の潮《うしお》の如《ごと》く、一日一日《いちにちいちにち》、そして一年一年《いちねんいちねん》と、かぎりなく向上《こうじょう》し、成長《せいちょう》していける人生《じんせい》を、ともどもに歩《あゆ》みたい。

一月二日

人生《じんせい》には師《し》が必要《ひつよう》だ。人間《にんげん》だけが師《し》をもつことができる。師《し》弟《てい》の道《みち》によってこそ、人間《にんげん》は人間《にんげん》としての最高《さいこう》の宝《たから》を学《まな》べるのである。

一月三日

時代《じだい》は、女性《じょせい》のもつしなやかな想像力《そうぞうりょく》、優《やさ》しさ、温《あたた》かさ、人間味《にんげんみ》などが社会《しゃかい》に反映《はんえい》されることを求《もと》めている。

モノや効率《こうりつ》ばかりを追《お》うような社会《しゃかい》から、心《こころ》の通《かよ》う人間《にんげん》らしい社会《しゃかい》に戻《もど》していくには、女性《じょせい》の力《ちから》が不可欠《ふかけつ》なのである。

一月四日

恩師《おんし》・戸田城聖先生《とだじょうせいせんせい》は言《い》われた。

「今年《ことし》こそは、と決心《けっしん》した時《とき》、われわれは、その証拠《しょうこ》を、その年《とし》の自分《じぶん》の生活《せいかつ》に必《かなら》ず出《だ》すことができる」

新《あたら》しい挑戦《ちょうせん》を開始《かいし》することは、それ自体《じたい》、勝利《しょうり》の姿《すがた》である。

一月五日

一日《いちにち》の生活《せいかつ》は、朝《あさ》が勝負《しょうぶ》だ。毎朝《まいあさ》、元気《げんき》に「おはようございます！」とあいさつする姿《すがた》が大切《たいせつ》である。まず人生《じんせい》、〝朝《あさ》に勝《か》つ〟ことが勝利《しょうり》の基《もと》である。

一月六日

仲《なか》よきことは、人生《じんせい》の最高《さいこう》の美《び》であり、花《はな》である。

一月七日

教養《きょうよう》と品格《ひんかく》ある女性《じょせい》――。その知性《ちせい》と優《やさ》しさのなかにこそ、真《しん》の美《うつく》しさが輝《かがや》く。周囲《しゅうい》に、信頼《しんらい》と安心《あんしん》を広《ひろ》げることができる。

一月八日

恩師《おんし》・戸田先生《とだせんせい》は言《い》われた。

「女性《じょせい》の幸福《こうふく》は青春時代《せいしゅんじだい》では決《き》まらない。青春時代《せいしゅんじだい》は一生《いっしょう》の幸福《こうふく》の土台《どだい》を築《きず》く鍛錬《たんれん》の時代《じだい》だ」

ゆえに焦《あせ》ってはならない。

一月九日

母親《ははおや》のなにげない笑顔《えがお》や振舞《ふるま》いは、暗《くら》い部屋《へや》に窓《まど》から明《あか》るい光《ひかり》が差《さ》し込《こ》むように、花《はな》の香《かお》りが馥郁《ふくいく》と周囲《しゅうい》を包《つつ》んでいくように、子《こ》どもの心《こころ》のなかに染《し》み込《こ》んでいくものです。

一月十日

苦労《くろう》さえも美《うつく》しさに変《か》えるような生《い》き方《かた》とは何《なに》か。それは世《せ》界《かい》でたったひとつしかない自分《じぶん》の人生《じんせい》を愛《いと》おしみ、一日一日《いちにちいちにち》をていねいに生《い》き、一生《いっしょう》を自分《じぶん》らしく仕上《しあ》げていくことではないか。その人《ひと》には愚痴《ぐち》がないし、いつまでも若々《わかわか》しい心《こころ》の張《は》りがある。心《こころ》の張《は》りは健康《けんこう》もつくっていくのである。

一月十一日

私は負《ま》けない。

幸福《こうふく》とは、まず負《ま》けないことだ。

一月十二日

心《こころ》の置《お》き方《かた》ひとつで決《き》まる。「楽観主義《らっかんしゅぎ》で生《い》きよう」と決《き》めれば、逆境《ぎゃっきょう》も苦難《くなん》も、人生《じんせい》のドラマを楽《たの》しむように、悠々《ゆうゆう》と乗《の》り越《こ》えていくことができる。

心《こころ》の窓《まど》を大《おお》きく開《ひら》いて、希望《きぼう》の青空《あおぞら》を仰《あお》いで生《い》きることだ。「明日《あす》はきっと、よくなる！」——と。

一月十三日

子《こ》どもを一個《いっこ》の人格《じんかく》として尊敬《そんけい》できる親《おや》こそ、立派《りっぱ》な家庭人《かていじん》というべきである。このような家庭人《かていじん》が、社会《しゃかい》にあってはよき社会人《しゃかいじん》であることは疑《うたが》いのないところである。

一月十四日

学校《がっこう》では、学生《がくせい》として、真剣《しんけん》に生《い》きる。家庭《かてい》では、娘《むすめ》として、正直《しょうじき》に生《い》きる。結婚《けっこん》すれば、妻《つま》として、立派《りっぱ》に生《い》きる。

自分《じぶん》が今《いま》いる、その場所《ばしょ》で、その立場《たちば》で、周囲《しゅうい》と協調《きょうちょう》しながら、一生懸命《いっしょうけんめい》に生《い》きていく。それが「謙虚《けんきょ》」です。

反対《はんたい》に、周《まわ》りのことなど考《かんが》えないで、自分《じぶん》のやりたいようにやるのは「傲慢《ごうまん》」です。

傲慢《ごうまん》は不正義《ふせいぎ》です。人《ひと》を不幸《ふこう》にします。

謙虚《けんきょ》は正義《せいぎ》です。人《ひと》を幸福《こうふく》にします。

一月十五日

家庭《かてい》はつくられたものではない。つくるものである。建設《けんせつ》すべきものである。

一月十六日

どんなに忙《いそが》しい毎日《まいにち》であっても、口元《くちもと》に出《で》そうになる愚痴《ぐち》をニッコリと笑顔《えがお》に変《か》え、家族《かぞく》や周囲《しゅうい》の人《ひと》をほめたたえていけるような心《こころ》のゆとりをなくさないでほしい。

一月十七日

約束《やくそく》を守《まも》る人《ひと》が、人間《にんげん》としていちばん偉《えら》い人《ひと》である。
誓《ちか》いを果《は》たす人《ひと》が、いちばん苦《くる》しそうに見《み》えて、いちばん幸《こう》福《ふく》な人《ひと》である。

一月十八日

身《み》だしなみや服装《ふくそう》を整《ととの》え、清潔《せいけつ》に、きちんとしていくこと。
世界《せかい》の一流《いちりゅう》の人格《じんかく》というのは、その点《てん》にも心《こころ》を配《くば》っている。

一月十九日

どんなに可憐《かれん》な野《の》の花《はな》も、決《けっ》して、ひ弱《よわ》ではない。弱《よわ》いように見《み》えて強《つよ》い。風《かぜ》にも、雨《あめ》にも負《ま》けない。同《おな》じように、「何《なに》があっても負《ま》けない！」というのが、私たちの合言葉《あいことば》だ。

一月二十日

兄弟《きょうだい》のなかでも病弱《びょうじゃく》だった私は、兄《あに》たちよりも母《はは》に心配《しんぱい》をかけた。

戦後《せんご》、私が夜学《やがく》に通《かよ》っていた頃《ころ》、どんなに遅《おそ》く帰《かえ》っても、母《はは》は必《かなら》ず待《ま》っていてくれた。うどんを温《あたた》めては、「たいへんだったね。たいへんだったね」というひと言《こと》に、無限《むげん》の母《はは》の慈愛《じあい》を身《み》に感《かん》じたものである。

一月二十一日

人間《にんげん》としての強《つよ》い芯《しん》をもちつつ、謙虚《けんきょ》さのなかに美《うつく》しい品格《ひんかく》と知性《ちせい》を輝《かがや》かせていきたい。

一月二十二日

よき友人《ゆうじん》は、あなたの教科書《きょうかしょ》となり、あなたを理想《りそう》へと引《ひ》っ張《ぱ》ってくれる磁石《じしゃく》となる。

一月二十三日

自分《じぶん》の命《いのち》を削《けず》ってまでも、子《こ》どものために生《い》きる――母親《ははおや》の愛情《あいじょう》とは、それほど深《ふか》く大《おお》きいものだ。

一月二十四日

世間体《せけんてい》や表面的《ひょうめんてき》な次元《じげん》にとらわれた生《い》き方《かた》では、いつまでたっても安心感《あんしんかん》は得《え》られない。いつも何《なに》かに左右《さゆう》され、軸《じく》がなくなってしまう。すると、「困《こま》った」「どうしよう」と、グルグル回《まわ》っているだけで前《まえ》へ進《すす》まず、愚痴《ぐち》や心配《しんぱい》が絶《た》えなくなってしまう。

そうではなく、一念《いちねん》のハンドルによって、すべてを希望《きぼう》の方《ほう》向《こう》へ、幸福《こうふく》の方向《ほうこう》へと、力強《ちからづよ》く回転《かいてん》させていくことだ。

一月二十五日

日々《ひび》、より高《たか》く、より深《ふか》く、より広《ひろ》い何《なに》かを求《もと》めて進歩《しんぽ》する。人《ひと》のため、社会《しゃかい》の平和《へいわ》のために行動《こうどう》する。そこにかぎりない向上《こうじょう》がある。充実《じゅうじつ》がある。安心《あんしん》も幸福《こうふく》もある。何《なに》よりも若々《わかわか》しく生《い》きられる。

一月二十六日

平和運動《へいわうんどう》は決《けっ》して遠《とお》くにあるものではない。自分《じぶん》さえよければというエゴの生命《いのち》を、一人一人《ひとりひとり》がいかにして乗《の》り越《こ》えるか。そして人《ひと》の痛《いた》みをわが痛《いた》みとして感《かん》じる鋭《するど》い感受性《かんじゅせい》をどう培《つちか》うか――日常《にちじょう》のなにげない出来事《できごと》のなかでの、そうした努力《どりょく》こそが大切《たいせつ》であると思《おも》う。

一月二十七日

感謝《かんしゃ》と報恩《ほうおん》を知《し》る人《ひと》は、いつまでも美《うつく》しく、晴《は》れ晴《ば》れとして、
いっさいを勝《か》ち越《こ》えている。

一月二十八日

何《なに》に悩《なや》んでいるか。何《なに》を望《のぞ》んでいるか――。皆《みな》の心《こころ》を知《し》り、皆《みな》が安心《あんしん》して頑張《がんば》れるように、一人一人《ひとりひとり》を、きめ細《こま》やかに励《はげ》ましていく。心《こころ》の重荷《おもに》を取《と》って、軽《かる》くしてあげる。楽《たの》しくさせてあげることだ。

一月二十九日

真剣《しんけん》ほど強《つよ》いものはない。物事《ものごと》に真剣《しんけん》に取《と》り組《く》んでいる姿《すがた》ほど若々《わかわか》しく、美《うつく》しいものはない。

一月三十日

「限界《げんかい》を破《やぶ》ろう！」——そう決《き》めたとき、実《じっ》は自分《じぶん》の心《こころ》の限界《げんかい》を、すでに一歩《いっぽ》、破《やぶ》っている。その時点《じてん》で、理想《りそう》や目標《もくひょう》も、半《なか》ば達成《たっせい》されているとさえ言《い》ってよい。

一月三十一日

子《こ》どもを育《そだ》てていく過程《かてい》では、思《おも》いもよらない、困難《こんなん》な出来《でき》事《ごと》に出合《であ》うものです。

その時《とき》こそ――

お母《かあ》さん、あなたの愛《あい》が必要《ひつよう》です。

お母《かあ》さん、あなたの強《つよ》さが大切《たいせつ》です。

お母《かあ》さん、あなたが負《ま》けないことが、子《こ》どもの人生《じんせい》の勝利《しょうり》につながります。

二月

二月一日

日常《にちじょう》の生活《せいかつ》のなかにこそ、人間《にんげん》が生《せい》を営《いとな》むうえでの大切《たいせつ》な本《ほん》質《しつ》があり、意味《いみ》がある。それをおろそかにしては、真《しん》の幸福《こうふく》も平和《へいわ》もあり得《え》ない。

いかに地味《じみ》な陰《かげ》の仕事《しごと》でも、生《い》き生《い》きと、そして地道《じみち》に、一《いち》日《にち》また一日《いちにち》、価値《かち》を創造《そうぞう》しゆく人生《じんせい》は幸福《こうふく》である。

二月二日

物事《ものごと》を、目先《めさき》だけで見《み》る人《ひと》がいる。

たえず目先《めさき》のことに紛動《ふんどう》され、一喜一憂《いっきいちゆう》する生《い》き方《かた》には、真《しん》の幸福《こうふく》も、真《しん》の向上《こうじょう》もない。

一生涯《いっしょうがい》を見据《みす》えて生《い》きる忍耐《にんたい》が、永遠《えいえん》の幸福《こうふく》への種子《しゅし》になっていくのだ。

二月三日

挑戦《ちょうせん》なきところに青春《せいしゅん》はない。あくなき挑戦《ちょうせん》の気概《きがい》にこそ、青春《せいしゅん》は脈動《みゃくどう》する。

二月四日

苦《くる》しい時《とき》は、この闇《やみ》が永遠《えいえん》に続《つづ》くような気《き》がするものです。しかし、そうではない。冬《ふゆ》はいつか必《かなら》ず春《はる》になります。永遠《えいえん》に続《つづ》く冬《ふゆ》はない。

誰《だれ》よりも苦《くる》しんだあなたが、誰《だれ》よりも人《ひと》の心《こころ》がわかるあなたなのです。誰《だれ》よりもつらい思《おも》いをしたあなたは、誰《だれ》よりも人《ひと》の優《やさ》しさに敏感《びんかん》なあなたのはずです。

二月五日

親《おや》や周囲《しゅうい》が、思春期《ししゅんき》の特徴《とくちょう》をよく理解《りかい》することだ。子《こ》どものいうことをよく聞《き》いてあげる。子《こ》どもをありのまま受《う》け入《い》れる。さらに子《こ》どもがほっとする居心地《いごこち》のいい家庭《かてい》をつくる。そういう努力《どりょく》をはらいながら、思春期《ししゅんき》は勇気《ゆうき》をもって耐《た》える期間《きかん》であると受《う》け止《と》めて、接《せっ》していってはどうだろうか。

二月六日

負《ま》けるな！　断《だん》じて負《ま》けるな！
幸福《こうふく》が人生《じんせい》の目的《もくてき》だ。
そのために努力《どりょく》を！
そのために忍耐《にんたい》を！
生《い》き抜《ぬ》くのだ。
愉快《ゆかい》に生《い》き抜《ぬ》くのだ。
強《つよ》く生《い》き抜《ぬ》くのだ。

二月七日

失敗《しっぱい》しても、叱《しか》るより「今回《こんかい》は、あなたらしくなかったね」と言《い》ったほうがいい。
壁《かべ》を乗《の》り越《こ》える自信《じしん》と、乗《の》り越《こ》える喜《よろこ》びを伝《つた》えてあげたい。

二月八日

世間《せけん》は矛盾《むじゅん》だらけである。正《ただ》しき眼《め》をもっていないともいえる。問題《もんだい》は、その矛盾《むじゅん》を突《つ》き抜《ぬ》け、大《おお》きく乗《の》り越《こ》えて、どう揺《ゆ》るぎない自分自身《じぶんじしん》をつくりあげるかである。

二月九日

人生《じんせい》は、ひとつひとつが戦《たたか》いである。途中《とちゅう》に何《なに》があろうと、必《かなら》ず、幸福《こうふく》の花《はな》を咲《さ》かせゆく戦《たたか》いだ。

二月十日

家庭教育《かていきょういく》へのアドバイス――

○子《こ》どもと交流《こうりゅう》する日々《ひび》の工夫《くふう》を

○父《ちち》と母《はは》が争《あらそ》う姿《すがた》を見《み》せない

○父《ちち》と母《はは》が同時《どうじ》には叱《しか》らない

○公平《こうへい》に。ほかの子《こ》と比較《ひかく》しない

○親《おや》の信念《しんねん》の生《い》き方《かた》を伝《つた》えよう

二月十一日

恩師《おんし》・戸田先生《とだせんせい》が最後《さいご》の誕生日《たんじょうび》（昭和《しょうわ》三十三年二月十一日）に、私の妻《つま》に贈《おく》ってくださった和歌《わか》がある。

「月光《げっこう》の　やさしき姿《すがた》に　妙法《みょうほう》の　強《つよ》き心《こころ》を　ふくみ持《も》てかし」

戸田先生《とだせんせい》から薫陶《くんとう》していただいた、この強《つよ》き心《こころ》を、女性《じょせい》の皆《みな》さんに伝《つた》えられることを、妻《つま》は深《ふか》い喜《よろこ》びとしている。

二月十二日

どんな時代《じだい》の変化《へんか》にあっても、つねに変《か》わることがないのが、真《しん》の友情《ゆうじょう》である。何《なに》かあると、すぐに変《か》わってしまうような友情《ゆうじょう》は本物《ほんもの》ではない。むしろ、試練《しれん》にあえばあうほど、真《しん》の友情《ゆうじょう》はより強《つよ》く、深《ふか》く、結《むす》びあっていく。

二月十三日

時間《じかん》がたくさんあるからといって、いい子育《こそだ》てができるわけではない。

たとえ時間《じかん》が限《かぎ》られていても、聡明《そうめい》な心《こころ》があれば、子《こ》どもとの凝結《ぎょうけつ》した触《ふ》れあいはつくれるものでしょう。

二月十四日

人間《にんげん》は自分一人《じぶんひとり》で生《う》まれてくることはできない。また決《けっ》して、たった一人《ひとり》で一人前《いちにんまえ》の人間《にんげん》になれるものでもない。家族《かぞく》のなかに生《う》まれ、家族《かぞく》のなかで育《そだ》ち、やがて一個《いっこ》の人間《にんげん》として成長《せいちょう》していく。夫婦《ふうふ》も、親子《おやこ》も、兄弟姉妹《きょうだいしまい》も、目《め》に見《み》えぬひとつの法則《ほうそく》で結《むす》ばれているともいえる。その心《こころ》の絆《きずな》こそ、真《しん》の家族《かぞく》の結晶《けっしょう》であるに違《ちが》いない。

二月十五日

世界《せかい》の人《ひと》びととの友好《ゆうこう》も大事《だいじ》であるが、隣近所《となりきんじょ》との友好《ゆうこう》はもっと大事《だいじ》である。友好《ゆうこう》・友情《ゆうじょう》こそ、人生《じんせい》の宝《たから》である。

二月十六日

本当《ほんとう》に自分《じぶん》のことを理解《りかい》してくれる人《ひと》がいるかぎり、安心《あんしん》して力《ちから》を出《だ》すことができる——それぐらい、心《こころ》の絆《きずな》は重要《じゅうよう》です。親子《おやこ》の絆《きずな》、教師《きょうし》と生徒《せいと》の絆《きずな》、師弟《してい》の絆《きずな》と、さまざまな絆《きずな》があるが、人生《じんせい》の年輪《ねんりん》を重《かさ》ねれば重《かさ》ねるほど、そのありがたみがわかるようになる。

二月十七日

かけがえのない一生《いっしょう》である。大切《たいせつ》な、尊《とうと》き自分自身《じぶんじしん》である。将来《しょうらい》に悔《く》いや、心《こころ》のかげりを残《のこ》すような青春《せいしゅん》であってもらいたくない。

最後《さいご》の最後《さいご》に「私は幸福《こうふく》になった」「私は本当《ほんとう》に満足《まんぞく》だ。勝《か》った」と笑顔《えがお》で言《い》える人生《じんせい》のための青春時代《せいしゅんじだい》であっていただきたい。

二月十八日

年齢《ねんれい》ではない。環境《かんきょう》でもない。心《こころ》である。人生《じんせい》は心《こころ》ひとつで、いつでも、どこでも、最高《さいこう》に輝《かがや》かせることができる。

二月十九日

子《こ》どもが起《お》こす問題行動《もんだいこうどう》は、何《なに》か意味《いみ》がある。子《こ》どもの心《こころ》が発《はっ》するシグナルです。

心《こころ》のどこかがおかしくても、子《こ》どもは、それをうまく表現《ひょうげん》できない。また、自分《じぶん》でもよくわからないのが実際《じっさい》でしょう。

子《こ》どもの行動《こうどう》の意味《いみ》を理解《りかい》し、対応《たいおう》してあげることが必要《ひつよう》なのです。子《こ》どものシグナルに気《き》づくためには、心《こころ》が子《こ》どもの方《ほう》を向《む》いていなくてはいけません。

二月二十日

人間《にんげん》の最《もっと》も美《うつく》しい姿《すがた》のひとつは、真剣《しんけん》に仕事《しごと》に打《う》ち込《こ》んでいる姿《すがた》である。

仕事《しごと》に責任《せきにん》をもって、はつらつと取《と》り組《く》んでいる女性《じょせい》は、若《わか》さを失《うしな》わない。

二月二十一日

一流《いちりゅう》の人格《じんかく》の人《ひと》は、友情《ゆうじょう》を徹底《てってい》して大切《たいせつ》にする。信義《しんぎ》を重《おも》んじる。

二月二十二日

人生《じんせい》は戦《たたか》いである。それが生命《せいめい》の法則《ほうそく》である。戦《たたか》いを避《さ》けることは、それ自体《じたい》、敗北《はいぼく》である。

幸福《こうふく》は勝《か》ち取《と》るものだ。

二月二十三日

人間《にんげん》として、たしかな目的《もくてき》をもって生《い》き抜《ぬ》く人《ひと》こそ、偉大《いだい》であり、幸福《こうふく》です。

二月二十四日

なんでも聞《き》こう、学《まな》ぼう。友人《ゆうじん》を広《ひろ》げよう——こういう姿勢《しせい》の人《ひと》は、自身《じしん》の可能性《かのうせい》を大《おお》きく伸《の》ばすことができる。

二月二十五日

赤《あか》ちゃんが初《はじ》めて自分《じぶん》を見《み》つめて笑《わら》ってくれた時《とき》、片言《かたこと》のことばでしゃべった時《とき》。初《はじ》めて自分《じぶん》の足《あし》で歩《ある》き始《はじ》めた時《とき》――。毎《まい》日《にち》が驚《おどろ》きと感動《かんどう》の日々《ひび》だったと思《おも》います。

子《こ》どもがだんだん大《おお》きくなると、そうした感動《かんどう》を感《かん》じることは少《すく》なくなるかもしれませんが、子《こ》どもたちは変《か》わることなく成長《せいちょう》を続《つづ》けているのです。その子《こ》どもの成長《せいちょう》を温《あたた》かく見守《みまも》りながら、自分《じぶん》もともに成長《せいちょう》する母親《ははおや》であり、教育者《きょういくしゃ》であってほしいと思《おも》います。

二月二十六日

栄誉《えいよ》に輝《かがや》いた友《とも》をほめたたえ、ともに喜《よろこ》ぶ人《ひと》は、その心《こころ》に福《ふく》徳《とく》が積《つ》まれていく。反対《はんたい》に、妬《ねた》んだり、たいしたことはないと見《み》くだしたりする人《ひと》は、自身《じしん》の福徳《ふくとく》を消《け》してしまう。

わが友《とも》を幸福《こうふく》にしゆく女性《じょせい》が、幸福《こうふく》の博士《はかせ》なのである。

二月二十七日

いつも自然《しぜん》に振舞《ふるま》うこと、なごやかな雰囲気《ふんいき》をつくること、笑顔《えがお》を絶《た》やさないこと――一緒《いっしょ》にいて、ありがたいなと思《おも》うのは、こうした妻《つま》の姿《すがた》である。

二月二十八日

自分《じぶん》の心《こころ》が変《か》わり、使命感《しめいかん》が変《か》われば、すべてが変《か》わっていく。
人《ひと》のために、と行動《こうどう》していくなかに、最《もっと》も光《ひか》り輝《かがや》いていく生《せい》命《めい》の軌道《きどう》がある。

二月二十九日

幸福《こうふく》は決《けっ》して有名《ゆうめい》無名《むめい》では決《き》まらない。
浅《あさ》はかな見栄《みえ》に左右《さゆう》されることは愚《おろ》かである。
平凡《へいぼん》な中《なか》に、幸福《こうふく》という賢人《けんじん》の道《みち》を知《し》っている女性《じょせい》は、すでに勝《か》っているのだ。

三月

三月一日

若《わか》い時《とき》に安逸《あんいつ》を貪《むさぼ》り、苦労《くろう》しないのは、不幸《ふこう》な青春《せいしゅん》である。自分《じぶん》では自由《じゆう》なつもりでいて、結局《けっきょく》、最後《さいご》は不自由《ふじゆう》な敗北者《はいぼくしゃ》となってしまう。

苦労《くろう》すべき時《とき》に苦労《くろう》し、勉強《べんきょう》すべき時《とき》に勉強《べんきょう》するのが、幸福《こうふく》な青春《せいしゅん》である。それが、一生涯《いっしょうがい》の幸福《こうふく》の礎《いしずえ》となる。

三月二日

母《はは》は、わが家《や》の太陽《たいよう》である。いな、世界《せかい》の太陽《たいよう》である。いかに暗《くら》く厳《きび》しい状況《じょうきょう》になっても、母《はは》がいれば、笑顔満開《えがおまんかい》の光《ひかり》が消《き》えることはない。

三月三日

躾《しつけ》や教育《きょういく》に、こうでなければならないという決《き》めつけは禁物《きんもつ》である。

「桜梅桃李《おうばいとうり》」——桜《さくら》は桜《さくら》、梅《うめ》は梅《うめ》の言葉通《ことばどお》りに、それぞれの子《こ》どもの長所《ちょうしょ》を伸《の》ばし、特性《とくせい》に合《あ》った生《い》き方《かた》を選《えら》ばせてあげられるような環境《かんきょう》を、できるかぎり用意《ようい》してあげたいものである。

三月四日

大切《たいせつ》なことは、相手《あいて》に同情《どうじょう》する——あわれむ——ということではなくて、わかってあげることです。理解《りかい》することです。人間《にんげん》は、自分《じぶん》のことをわかってくれる人《ひと》がいる、それだけで生《い》きる力《ちから》がわいてくるものです。

三月五日

命《いのち》にはかぎり、、があある。だからこそ、何《なに》に命《いのち》を使《つか》うかが重要《じゅうよう》です。

人間《にんげん》を育《そだ》てることは、最高《さいこう》に尊《とうと》いことではないだろうか。

三月六日

正義《せいぎ》に生《い》きる女性《じょせい》の魂《たましい》ほど、尊《とうと》く強《つよ》く美《うつく》しく、不滅《ふめつ》のものはない。

三月七日

強《つよ》くあれ！
強《つよ》くなれ！
希望《きぼう》は　未来《みらい》の勝利《しょうり》の旭日《きょくじつ》
幸福《こうふく》は　自分自身《じぶんじしん》の権利《けんり》なり

三月八日

雨《あめ》が降《ふ》ろうが、風《かぜ》が吹《ふ》こうが、寒《さむ》さにふるえようが、または傷《きず》つき敗《やぶ》れても、家庭《かてい》に帰《かえ》って、母《はは》の温《あたた》かい生命《いのち》に触《ふ》れさえすれば、心身《しんしん》の傷《きず》は癒《い》える。

三月九日

幸福《こうふく》というも、地獄《じごく》というも、皆《みな》、自分自身《じぶんじしん》の胸《むね》のなかにある。心《こころ》のなかにある。

三月十日

生《い》きることは戦《たたか》いである。人生《じんせい》は、自分自身《じぶんじしん》との戦《たたか》いである。負《ま》ければ、この人生《じんせい》を存分《ぞんぶん》に生《い》きたとの喜《よろこ》びはない。悔《く》いと苦《く》悩《のう》と不幸《ふこう》を残《のこ》すだけである。

私は、私らしく勝《か》ったと、自分《じぶん》に胸《むね》を張《は》れる人生《じんせい》でありたい。

三月十一日

自己《じこ》の成長《せいちょう》を願《ねが》わず、目先《めさき》の楽《たの》しみだけを追《お》い求《もと》める人生《じんせい》の、どこが幸福《こうふく》であろうか。

「成長《せいちょう》しよう」と努力《どりょく》する女性《じょせい》は、人生《じんせい》のどんな時《とき》をも、最高《さいこう》に輝《かがや》かせていける。

三月十二日

女性《じょせい》の場合《ばあい》、決《けっ》して、いわゆる青春時代《せいしゅんじだい》のみが花《はな》なのではない。若《わか》い時代《じだい》にどんなに華《はな》やかであっても、その幸福《こうふく》は浅《あさ》いものだし、また一生続《いっしょうつづ》く保証《ほしょう》もない。

長《なが》い目《め》で見《み》た時《とき》には、心《こころ》にしっかりした芯《しん》をもっている人《ひと》は、時《とき》とともに、輝《かがや》いていくものだ。

三月十三日

こうすれば、どう見《み》られるか、どうなるか――そういうことだけを考《かんが》えて、人《ひと》によく思《おも》われるように、うまく泳《およ》いでいく。それは楽《らく》なように見《み》えて、あまりにもわびしい生《い》き方《かた》である。状況《じょうきょう》に翻弄《ほんろう》され、なんの価値《かち》も残《のこ》さず、時代《じだい》とともに色《いろ》あせていく人生《じんせい》であってはならない。

わが人生《じんせい》は、自分自身《じぶんじしん》への最高《さいこう》の贈《おく》り物《もの》なのである。

三月十四日

勇《いさ》んで労苦《ろうく》を引《ひ》き受《う》け、友《とも》と同苦《どうく》し、人《ひと》びとに、社会《しゃかい》に、奉《ほう》仕《し》しゆく人生《じんせい》であれ！

大《おお》きく悩《なや》んだ分《ぶん》、大《おお》きく境涯《きょうがい》が広《ひろ》がる。

三月十五日

子《こ》どもは、いつか、独《ひと》り立《だ》ちしていかなくてはならない。

「子《こ》どもを『幸福《こうふく》にすること』と『甘《あま》やかすこと』を混同《こんどう》してはいけない」とはフランスの思想家《しそうか》ルソーの言葉《ことば》です。

子《こ》どもを幸福《こうふく》にするために大切《たいせつ》なのは、どんな試練《しれん》にあっても、それに負《ま》けない強《つよ》さと勇気《ゆうき》を育《はぐく》んでいくことではないでしょうか。

三月十六日

師弟《してい》というのは、師匠《ししょう》に弟子《でし》が仕《つか》えきっていくことだ。弟子《でし》が力《ちから》をつけ、立派《りっぱ》になり、偉《えら》くなって、師匠《ししょう》にお応《こた》えするのだ。そして師匠《ししょう》に勝利《しょうり》を報告《ほうこく》するのだ。

三月十七日

学歴《がくれき》や財産《ざいさん》は、それ自体《じたい》、人生《じんせい》の目的《もくてき》ではない。ゆえに、そのことで人《ひと》をうらやんだり、自分《じぶん》を卑下《ひげ》したりするのは愚《おろ》かである。

貴女自身《あなたじしん》がすべての宝《たから》であることを忘《わす》れないで、毅然《きぜん》と生《い》き抜《ぬ》くことだ。

三月十八日

岩《いわ》にさえぎられた苗木《なえぎ》は、まっすぐに伸《の》びることはできない。かといって、温室《おんしつ》で育《そだ》てたものは、早《はや》く生長《せいちょう》するが、風雪《ふうせつ》に対《たい》する抵抗力《ていこうりょく》が弱《よわ》いものである。

伸《の》び伸《の》びと、自由《じゆう》な空気《くうき》のなかで、しかも、自然《しぜん》な試練《しれん》のなかに、鍛《きた》えられていくことが、子《こ》どもにとって幸《しあわ》せな道《みち》ではないだろうか。

三月十九日

観念《かんねん》だけでは、真《しん》に人間《にんげん》を育《そだ》てることはできません。実際《じっさい》に体《からだ》を動《うご》かし、汗《あせ》を流《なが》し、ともに泣《な》き、ともに笑《わら》い——そうした人間同士《にんげんどうし》の打《う》ちあいのなかでこそ、人《ひと》は磨《みが》かれていくものです。

三月二十日

家庭《かてい》がつねに明《あか》るく健康《けんこう》であるためには、たゆまざる価値創《かちそう》造《ぞう》が必要《ひつよう》だと思《おも》う。一曲《いっきょく》の音楽《おんがく》が、家庭《かてい》を楽《たの》しい音楽会場《おんがくかいじょう》にもするし、子《こ》どもの描《えが》いた一枚《いちまい》の絵《え》が、家庭《かてい》を美《うつく》しい展覧会場《てんらんかいじょう》にもする。

三月二十一日

前《まえ》へ！　また断固《だんこ》として、前《まえ》へ進《すす》むのだ！　眼前《がんぜん》の現実《げんじつ》に勇《ゆう》敢《かん》に挑《いど》みゆくのだ！

その人《ひと》が、最高《さいこう》の勝利《しょうり》の人《ひと》である。尊《とうと》き女性《じょせい》なのである。

誰《だれ》がなんと言《い》おうが、誰人《だれびと》がなんと思《おも》おうが！

三月二十二日

部屋《へや》を片付《かたづ》けないと「なんて、だらしのない子《こ》！」と言《い》う。言《い》うたびに、そういう否定的《ひていてき》な自画像《じがぞう》が子《こ》どもに刷《す》りこまれてしまう場合《ばあい》がある。むしろ、「あなたなら、きれいにできるよ」と励《はげ》ましてあげたい。

三月二十三日

意欲的《いよくてき》に社会生活《しゃかいせいかつ》に参加《さんか》している人《ひと》は、年齢《ねんれい》よりはるかに若々《わかわか》しい。また、ささいなことにも感謝《かんしゃ》の心《こころ》をもてる人《ひと》、人《ひと》のために尽《つ》くそうとする人《ひと》は、すがすがしく若々《わかわか》しい。

三月二十四日

子《こ》どもは本来《ほんらい》、伸《の》びよう、成長《せいちょう》しよう、という生命《せいめい》の勢《いきお》いをもっている。何《なに》かのきっかけで、ぐんぐん伸《の》びていくときの子《こ》どもの成長《せいちょう》の速《はや》さは、まことに目覚《めざ》ましい。

子育《こそだ》てとは、基本的《きほんてき》には、この子《こ》どもの生命力《せいめいりょく》の流《なが》れを正《ただ》しく導《みちび》き、成長《せいちょう》をはばむものを取《と》り除《のぞ》いてあげることではないだろうか。

三月二十五日

大事《だいじ》なのは、忙《いそが》しさに負《ま》けないこと。心《こころ》が負《ま》けないことです。

三月二十六日

恩《おん》を知《し》り、恩《おん》に報《むく》いていくことが、人間《にんげん》の歩《あゆ》むべき道《みち》である。親《おや》を愛《あい》し、親《おや》に心《こころ》の底《そこ》から感謝《かんしゃ》できるようになっていくことが、人間《にんげん》としての深《ふか》まりであり、成長《せいちょう》の証《あかし》と言《い》ってよい。そのように人間《にんげん》として成長《せいちょう》していってこそ、自《みずか》らもよい親《おや》となり、和楽《わらく》の家庭《かてい》を築《きず》いていける。そうした心《こころ》が、子育《こそだ》てにも大《おお》きな影響《えいきょう》を与《あた》えていく。

三月二十七日

地上《ちじょう》にひとつの太陽《たいよう》が昇《のぼ》れば、万物《ばんぶつ》はエネルギーを受《う》けることができる。

同《おな》じように、家族《かぞく》のなかで、自分《じぶん》が太陽《たいよう》となれば、その光《ひかり》で周囲《しゅうい》を照《て》らしていくことができる。

三月二十八日

智慧《ちえ》は慈悲《じひ》から生《う》まれる。
慈悲《じひ》は勇気《ゆうき》から生《う》まれる。
勇気《ゆうき》が慈悲《じひ》に通《つう》じ、さらに智慧《ちえ》に通《つう》ずるのだ。

三月二十九日

人生《じんせい》はまず、「どんな困難《こんなん》も乗《の》り越《こ》えてみせる」「小《ちい》さな自分《じぶん》の殻《から》を破《やぶ》ってみせる」という気概《きがい》をもつことだ。そこから、いっさいが開《ひら》けていく。

三月三十日

若《わか》き日《ひ》の悲運《ひうん》を耐《た》え抜《ぬ》いて、人《ひと》の何倍《なんばい》も苦労《くろう》を重《かさ》ねた分《ぶん》、人《ひと》の何倍《なんばい》も豊《ゆた》かな人生《じんせい》を送《おく》ることができる。

三月三十一日

子《こ》どもたちへの無関心《むかんしん》は、放任《ほうにん》に通《つう》じる。親同士《おやどうし》も声《こえ》をかけあい、互《たが》いに子《こ》どもたちの成長《せいちょう》を見守《みまも》るように心《こころ》がけたい。

四月

四月一日

太陽《たいよう》は、うまず、たゆまず、自《みずか》らの軌道《きどう》を進《すす》み、万物《ばんぶつ》を照《て》らし、育《はぐく》んでいく。

女性《じょせい》は、一家《いっか》の太陽《たいよう》です。太陽《たいよう》の如《ごと》く明《あか》るく、太陽《たいよう》の如《ごと》く力《ちから》強《づよ》く、太陽《たいよう》の如《ごと》く健康《けんこう》に、「今日《きょう》も、何《なに》かに挑戦《ちょうせん》しよう！」「今日《きょう》も、一歩進《いっぽすす》もう！」と、目標《もくひょう》をもって、張《は》りのある一日一日《いちにちいちにち》を積《つ》み重《かさ》ねていってほしい。

四月二日

恩師《おんし》・戸田《とだ》先生《せんせい》は、「恩《おん》を返《かえ》すのが最上《さいじょう》の人間《にんげん》だ」と言《い》われた。

報恩《ほうおん》の人生《じんせい》は美《うつく》しい。お世話《せわ》になった人《ひと》に恩返《おんがえ》しをしていこうという心《こころ》が、一番《いちばん》、自分《じぶん》を成長《せいちょう》させる。限《かぎ》りない向上《こうじょう》のエネルギーとなっていく。

報恩《ほうおん》の人《ひと》こそ、人生《じんせい》の勝利者《しょうりしゃ》である。

四月三日

何《なに》かに縛《しば》られているように感《かん》じる時《とき》。すべてが受《う》け身《み》になっている時《とき》。なんとなく迷《まよ》いが感《かん》じられる時《とき》。

そういう時《とき》ほど、一念《いちねん》を逆転《ぎゃくてん》させて「さあ、この道《みち》を貫《つらぬ》こう！」と決《き》めていくことだ。その一念《いちねん》のなかに、真実《しんじつ》の「春《はる》」が到来《とうらい》する。

四月四日

母《はは》よ　大楽観主義者《だいらっかんしゅぎしゃ》の母《はは》よ！
誰《だれ》でも　あなたの名《な》を呼《よ》ぶとき
暖《あたた》かな春《はる》が　胸《むね》に　よみがえる
誰《だれ》でも　あなたの声《こえ》を聞《き》くとき
懐《なつ》かしい故郷《こきょう》から　生《い》きる力《ちから》を得《え》る

四月五日

過去《かこ》にとらわれるのではなく、「これから」「今《いま》から」「今日《きょう》から」――と、つねに前《まえ》に進《すす》んでいく強《つよ》き一念《いちねん》を忘《わす》れまい。

四月六日

子《こ》どもが楽《たの》しく喜《よろこ》んで学校《がっこう》に通《かよ》うことができるかどうかは、最初《さいしょ》のスタートにかかっています。わずかの時間《じかん》でも、お母《かあ》さんが笑顔《えがお》で送《おく》り出《だ》し、また子《こ》どものほうから何《なに》か話《はな》しかけてきた時《とき》には、決《けっ》して面倒《めんどう》がらずに、しっかり耳《みみ》を傾《かたむ》けてあげること。それが、どれだけ子《こ》どもの心《こころ》を安定《あんてい》させるか、計《はか》り知《し》れません。

四月七日

日々《ひび》新鮮《しんせん》な魂《たましい》で
喜《よろこ》び舞《ま》いゆくあなたよ！
悲《かな》しむこともなく
負《ま》けることもなく
今日《きょう》も愉快《ゆかい》に勝《か》ち進《すす》む
あなたの名《な》は
「幸福博士《こうふくはかせ》」だ

四月八日

心《こころ》の大地《だいち》に深《ふか》く根《ね》を張《は》った人生《じんせい》か。それとも人《ひと》の目《め》をたえず気《き》にして生《い》きる人生《じんせい》か——。

人生《じんせい》の基準《きじゅん》は、自分自身《じぶんじしん》にある。自身《じしん》の胸中《きょうちゅう》にこそある。

四月九日

人間《にんげん》にとって、信用《しんよう》ほど大切《たいせつ》なものはない。信用《しんよう》こそが最高《さいこう》の財産《ざいさん》である。信用《しんよう》されない人《ひと》は、いつしか、わびしい孤独《こどく》の敗北者《はいぼくしゃ》となっていく。

四月十日

努力《どりょく》という短《みじか》い言葉《ことば》のなかに、勝利《しょうり》と栄光《えいこう》が光《ひか》っている。

四月十一日

長《なが》い人生《じんせい》といえども、一瞬一瞬《いっしゅんいっしゅん》の積《つ》み重《かさ》ねである。所詮《しょせん》、よくなるか悪《わる》くなるかのどちらかしかない。それを決《き》めるのは自分自身《じぶんじしん》である。

四月十二日

親《おや》は子《こ》どものよき友《とも》だちであれと私は願《ねが》う。子《こ》どもに愛情《あいじょう》をもたぬ親《おや》はないが、もうひとつ、友情《ゆうじょう》をもてと言《い》いたい。友情《ゆうじょう》をもつというのは、子《こ》どもを立派《りっぱ》な人格《じんかく》として尊重《そんちょう》することである。

四月十三日

徹《てっ》する姿勢《しせい》——これこそ、幸福《こうふく》のカギである。わが道《みち》に徹《てっ》してこそ、後悔《こうかい》なき所願満足《しょがんまんぞく》の人生《じんせい》が開《ひら》かれていく。

四月十四日

自分《じぶん》の振舞《ふるま》いを通《とお》して教《おし》えてこそ、本当《ほんとう》の教育《きょういく》である。口先《くちさき》だけでなく、行動《こうどう》が伴《ともな》って初《はじ》めて、教育《きょういく》に魂《たましい》が入《はい》る。

四月十五日

歩《あゆ》みは、遅《おそ》くてもよい。一歩《いっぽ》また一歩《いっぽ》、前進《ぜんしん》する人《ひと》が、勝利《しょうり》者《しゃ》です。

四月十六日

「忙《いそが》しい」という字《じ》は、「心《こころ》を亡《な》くす」と書《か》きます。あわただしさのなかで、ただ追《お》われる生活《せいかつ》に流《なが》されてしまえば、大切《たいせつ》なことまで見《み》えなくなってしまいます。

その時《とき》こそ、「何《なん》のため」という問《と》いかけを思《おも》い起《お》こすことです。

四月十七日

教育《きょういく》も子育《こそだ》ても、時間《じかん》のかかる作業《さぎょう》です。一生懸命《いっしょうけんめい》に取《と》り組《く》んでも、その結果《けっか》がすぐに表《あらわ》れないかもしれない。でも、子《こ》どもたちに幸福《こうふく》の種《たね》を植《う》え、その心《こころ》を豊《ゆた》かに耕《たがや》した事実《じじつ》は残《のこ》ります。

あなたの労苦《ろうく》は、すべて子《こ》どもたちの宝《たから》として実《みの》っていくのです。

四月十八日

恋愛《れんあい》をするならば、大《おお》いなる創造《そうぞう》への精神力《せいしんりょく》がわき出《い》づるような、互《たが》いに高《たか》めあうものであってほしい。

四月十九日

家庭《かてい》ではよき娘《むすめ》となり、職場《しょくば》では、皆《みな》に慕《した》われ、信頼《しんらい》される存在《そんざい》となって光《ひか》っていくことだ。

四月二十日

母親《ははおや》も、立派《りっぱ》な一個《いっこ》の社会人《しゃかいじん》である。視野《しや》を社会《しゃかい》に大《おお》きく広《ひろ》げてこそ、人間《にんげん》としての幸福《こうふく》も、母親《ははおや》としての幸福《こうふく》も、見《み》えてくるのではないだろうか。

四月二十一日

何《なに》があろうとも絶対《ぜったい》に卑屈《ひくつ》になってはならない。うつむいてはならない。誇《ほこ》りと自信《じしん》をもって、輝《かがや》く瞳《ひとみ》をあげ、堂々《どうどう》と生《い》き抜《ぬ》く人《ひと》が幸福者《こうふくもの》である。

四月二十二日

子《こ》どもの前《まえ》で陰険《いんけん》な夫婦喧嘩《ふうふげんか》は避《さ》けたいものだ。子《こ》どもたちは、たとえ見《み》ぬふりをしていても、つぶらな瞳《ひとみ》を通《とお》し、柔《やわ》らかい皮膚《ひふ》を通《とお》して、鋭敏《えいびん》に両親《りょうしん》の振舞《ふるま》いを感受《かんじゅ》し、それに感応《かんのう》していることを、つねに忘《わす》れてはならない。

四月二十三日

私は、生涯青春《しょうがいせいしゅん》という言葉《ことば》が好《す》きである。

いわゆる若《わか》さとは、決《けっ》して年齢《ねんれい》によって決《き》まるものではない。自分《じぶん》のもつ目標《もくひょう》に向《む》かって、たくましく生《い》き抜《ぬ》く情熱《じょうねつ》の炎《ほのお》によって決《き》まると信《しん》じているからだ。

若《わか》くして心《こころ》の老《お》いた人《ひと》もいる。一方《いっぽう》、どんなに高齢《こうれい》になっても希望《きぼう》を失《うしな》わず、心《こころ》の若々《わかわか》しい人《ひと》は生涯青春《しょうがいせいしゅん》である。

四月二十四日

平凡《へいぼん》でもいい
私はいつも
春風《はるかぜ》の笑顔《えがお》を　忘《わす》れずにいたい
太陽《たいよう》の希望《きぼう》を　はつらつと輝《かがや》かせたい
月光《げっこう》と語《かた》らいながら　知性《ちせい》を深《ふか》めたい
白雪《はくせつ》のごとく　清《きよ》らかに光《ひか》る人《ひと》でありたい

四月二十五日

躾《しつけ》とは、日々《ひび》の生活《せいかつ》を、闊達《かったつ》に、円滑《えんかつ》に、自他《じた》ともに楽《たの》しく、回転《かいてん》させていくためのリズムを、「身《み》」に「美《うつく》しく」体得《たいとく》していくことといえるかもしれない。

四月二十六日

タンポポは、なぜ、踏《ふ》まれても、踏《ふ》まれても、負《ま》けないのだろうか。強《つよ》さの秘密《ひみつ》は、地中深《ちちゅうふか》くに伸《の》ばした根《ね》っこだ。長《なが》いものだと、地下《ちか》一メートル以上《いじょう》にもなるという。

人間《にんげん》も同《おな》じであろう。悪戦苦闘《あくせんくとう》を耐《た》え抜《ぬ》き、自身《じしん》の人生《じんせい》の根《ね》っこを、何《なに》ものにも揺《ゆ》るがぬ深《ふか》さまで張《は》った人《ひと》が、まことの勝《しょう》利者《りしゃ》だ。

四月二十七日

平凡《へいぼん》なるよき市民《しみん》、よき隣人《りんじん》として、誰《だれ》からも信頼《しんらい》され、荒《あ》れすさんだ友《とも》の心《こころ》を浄化《じょうか》していく、地域《ちいき》、職場《しょくば》の良心《りょうしん》となってほしい。

四月二十八日

前《まえ》を見《み》よ
後《うし》ろを見《み》るな
前《まえ》には
希《き》望《ぼう》と勝《しょう》利《り》と栄《えい》光《こう》の人《じん》生《せい》がある

四月二十九日

子《こ》どもなのだから、時《とき》には、いたずらをするのも結構《けっこう》である。たとえ叱《しか》られたとしても、それが善悪《ぜんあく》を判断《はんだん》し、正義《せいぎ》というものを考《かんが》える手《て》だてになれば、かけがえのない人生経験《じんせいけいけん》ではないか。

貴重《きちょう》な人生《じんせい》の学問《がくもん》を、子《こ》どもは自然《しぜん》のうちに学《まな》びとり、血肉《ちにく》としていくに違《ちが》いない。

四月三十日

今《いま》いる場所《ばしょ》で
自分自身《じぶんじしん》に負《ま》けず　勝《か》ち抜《ぬ》き
人《ひと》と比《くら》べることなく
自分自身《じぶんじしん》の誇《ほこ》り高《たか》き使命《しめい》の道《みち》を
実直《じっちょく》に前進《ぜんしん》する人《ひと》が
幸福者《こうふくもの》であり　人間《にんげん》としての勝利者《しょうりしゃ》だ

五月

五月一日

日々《ひび》新《あら》たにして日《ひ》に日《ひ》に新《あら》たなり――
今日《きょう》も生《う》まれ変《か》わった生命《せいめい》の息吹《いぶき》で
全力《ぜんりょく》で走《はし》りゆくことだ
今日《きょう》の満足《まんぞく》と、明日《あす》への飛躍《ひやく》と――

五月二日

人生《じんせい》にあって師《し》をもてることは幸《しあわ》せであり、大《おお》きな喜《よろこ》びである。自《みずか》らが決《き》めた師弟《してい》の道《みち》を人生《じんせい》の誇《ほこ》りとして貫《つらぬ》き通《とお》すところに、人間《にんげん》としての美《うつく》しさ、尊《とうと》さがある。

五月三日

母《はは》の力《ちから》は大地《だいち》の力《ちから》である。
大地《だいち》が、草木《くさき》を茂《しげ》らせ、花《はな》を咲《さ》かせ、果実《かじつ》を実《みの》らせるように、
母《はは》は、いっさいを育《はぐく》む創造《そうぞう》と教育《きょういく》の大地《だいち》である。その大地《だいち》が、
ひとたび動《うご》けば、すべては変《か》わる。
母《はは》が家庭《かてい》を変《か》える。
母《はは》が地域《ちいき》を変《か》える。
母《はは》が社会《しゃかい》を変《か》える。
母《はは》が時代《じだい》を変《か》える。
そして、母《はは》が世界《せかい》を平和《へいわ》へと変《か》えていくのだ！

五月四日

笑顔《えがお》は、幸福《こうふく》の結果《けっか》というよりも、むしろ幸福《こうふく》の原因《げんいん》だともいえよう。

五月五日

どんな子《こ》であれ、その人《ひと》にしか果《は》たせない使命《しめい》がある。誰《だれ》しも、何《なに》かの才能《さいのう》の芽《め》をもっている。

その芽《め》を伸《の》ばすための最高《さいこう》の養分《ようぶん》は、信《しん》じてあげることです。

人《ひと》によって、早《はや》く芽吹《めぶ》く人《ひと》もいれば、時間《じかん》がたってから、急《きゅう》に伸《の》びだす人《ひと》もいる。

しかし、いつかは必《かなら》ず才能《さいのう》の芽《め》が伸《の》びることを信《しん》じて、温《あたた》かく見守《みまも》り、根気《こんき》強《づよ》く励《はげ》ましを重《かさ》ねていくことです。

五月六日

木《き》も大《おお》きな花《はな》を咲《さ》かせ、皆《みな》の心《こころ》を楽《たの》しませてくれる。
人間《にんげん》も、何《なに》か人《ひと》のためにならねばならない。

五月七日

お金《かね》や栄誉《えいよ》を得《え》ることよりも、人間《にんげん》としていちばん大事《だいじ》なのは、学《まな》ぶことです。

いくら有名人《ゆうめいじん》でも、学《まな》ぶ心《こころ》のない人《ひと》は尊敬《そんけい》できません。一生《いっしょう》涯《がい》、学《まな》び続《つづ》ける——その人《ひと》を尊敬《そんけい》すべきです。

五月八日

お母《かあ》さんへ感謝《かんしゃ》を忘《わす》れてはいけません。母《はは》への感謝《かんしゃ》を忘《わす》れた時《とき》、人《ひと》は傲慢《ごうまん》になる。大切《たいせつ》な何《なに》かを見失《みうしな》ってしまう。母《はは》に最敬礼《さいけいれい》する心《こころ》から、正義《せいぎ》も平和《へいわ》も生《う》まれる。

五月九日

世間《せけん》では、富《とみ》や名声《めいせい》をもつ人《ひと》ばかりが、もてはやされがちだ。しかし、本当《ほんとう》の人間《にんげん》の価値《かち》とは、物質的《ぶっしつてき》な豊《ゆた》かさや名声《めいせい》のなかにあるのではない。

もちろん、誰《だれ》もが裕福《ゆうふく》で、健康《けんこう》であってほしい。しかし、心《こころ》の豊《ゆた》かさにこそ、最高《さいこう》の価値《かち》があることを忘《わす》れてはなるまい。

五月十日

細《こま》やかな情愛《じょうあい》がにじみ出《で》ている夫婦《ふうふ》や家庭《かてい》には、不思議《ふしぎ》と、ほめ上手《じょうず》の奥《おく》さんがいるようだ。身近《みぢか》な家族同士《かぞくどうし》では、意外《いがい》に不平《ふへい》や欠点《けってん》の指摘《してき》に終始《しゅうし》していることも多《おお》い。そうしたなかで、ほんのちょっとした励《はげ》ましの言葉《ことば》が、相手《あいて》の心《こころ》をほぐし、会話《かいわ》を円滑《えんかつ》にする。自信《じしん》をもたせる。

五月十一日

人生《じんせい》の幾山河《いくさんが》を乗《の》り越《こ》えてきた、かけがえのない経験《けいけん》の輝《かがや》きは、年輩者《ねんぱいしゃ》のみがもつものである。若《わか》い人《ひと》たちは、尊《とうと》き人生《じんせい》の長者《ちょうじゃ》の方々《かたがた》を尊敬《そんけい》し、その智慧《ちえ》の宝《たから》を決《けっ》しておろそかにしてはならない。

五月十二日

自己《じこ》の目的《もくてき》と使命《しめい》に向《む》かって、挑戦《ちょうせん》に挑戦《ちょうせん》を重《かさ》ねる。あきらめない。動《うご》く。学《まな》び、語《かた》る。また学《まな》ぶ。その、これでもか、これでもかという実践《じっせん》の結果《けっか》、ある時《とき》、パーッと大《おお》きく開《ひら》けてくるものである。

五月十三日

自分《じぶん》を産《う》み、育《そだ》ててくれたお母《かあ》さん。

昼《ひる》も、夜《よる》も、休《やす》むことなく働《はたら》き続《つづ》けてきたお母《かあ》さん。

いつもは口《くち》うるさくても、いざという時《とき》は必《かなら》ず守《まも》ってくれたお母《かあ》さん。

わが子《こ》のため、家族《かぞく》のために、ひたぶるな祈《いの》りを重《かさ》ねてきたお母《かあ》さん。

尊《とうと》い、尊《とうと》い、お母《かあ》さんです。

どんな有名人《ゆうめいじん》や、政治家《せいじか》をさしおいても、無名《むめい》のお母《かあ》さんこそ、たたえていくべきです。誰《だれ》がたたえなくても、私は最大《さいだい》に賞賛《しょうさん》し、感謝《かんしゃ》の心《こころ》を贈《おく》りたい。

五月十四日

叱《しか》るといっても、親《おや》が理由《りゆう》も言《い》わずに、怒《いか》りにまかせて叱《しか》ってばかりいると、子《こ》どもがおびえます。そして、とにかく「怒《おこ》られないように」「叱《しか》られないように」と、一種《いっしゅ》のずるさを身《み》につけてしまうこともある。

そんなことを繰《く》り返《かえ》しているうちに、大事《だいじ》な時《とき》にも親《おや》の言《い》うことに耳《みみ》を傾《かたむ》けなくなってしまう。

五月十五日

自分自身《じぶんじしん》をつくることです。自分《じぶん》のなかに、幸福《こうふく》の引力《いんりょく》をもつことです。自分《じぶん》が幸福《こうふく》の太陽《たいよう》になって、一家《いっか》も一族《いちぞく》も、友人《ゆうじん》をも照《て》らしていくのです。

五月十六日

憂鬱《ゆううつ》な人生《じんせい》よ、去《さ》れ！
悲惨《ひさん》な人生《じんせい》よ、去《さ》れ！
愚《おろ》かな人生《じんせい》よ、去《さ》れ！
無駄《むだ》な道《みち》を歩《あゆ》むな！
絶望《ぜつぼう》の道《みち》を歩《あゆ》むな！
賢《かしこ》く生《い》き抜《ぬ》いてこそ、青春《せいしゅん》だ。

五月十七日

家族《かぞく》のため、近隣《きんりん》のために、自分《じぶん》らしく、誠実《せいじつ》に精一杯《せいいっぱい》の努力《どりょく》をして生《い》きてきた女性《じょせい》の一生《いっしょう》は、平凡《へいぼん》であっても、尊《とうと》く美《うつく》しい。

五月十八日

いちばん大切《たいせつ》な生命《せいめい》を守《まも》り育《はぐく》みゆく、女性《じょせい》の智慧《ちえ》と慈悲《じひ》の結集《けっしゅう》にこそ、人類史《じんるいし》の転換《てんかん》は託《たく》されている。

偉大《いだい》なる母性《ぼせい》の力《ちから》は、権力《けんりょく》にも勝《まさ》る。

五月十九日

他人《たにん》の畑《はたけ》に気《き》を取《と》られていては、どこまでいっても満足《まんぞく》は得《え》られない。

自分《じぶん》の畑《はたけ》を耕《たがや》さないかぎり、人生《じんせい》の真《しん》の実《みの》りは満喫《まんきつ》できない。

五月二十日

今《いま》の仕事《しごと》に全力《ぜんりょく》で当《あ》たれ！
今日《きょう》の課題《かだい》に懸命《けんめい》に挑《いど》め！
足下《あしもと》の己《おのれ》の使命《しめい》に徹《てっ》せよ！
そこに勝利《しょうり》がある。

五月二十一日

生《う》まれてきたからには、幸福《こうふく》を勝《か》ち取《と》らねばならない。

断《だん》じて、不幸《ふこう》に負《ま》けてはならない。

若々《わかわか》しく希望《きぼう》の光《ひかり》に包《つつ》まれた、貴女《あなた》の闘争《とうそう》の力《ちから》こそが、すべてを幸福《こうふく》に変《か》えていくのだ。

五月二十二日

自分《じぶん》の将来《しょうらい》や人生《じんせい》について、両親《りょうしん》や先輩《せんぱい》と話《はな》し合《あ》うことは決《けっ》して古《ふる》いことではない。大切《たいせつ》な示唆《しさ》となることを忘《わす》れてはならない。いちばん賢明《けんめい》に自分《じぶん》を守《まも》る羅針盤《らしんばん》になるのである。

五月二十三日

笑顔《えがお》はいわば、ふくよかに香《かお》る心《こころ》の花《はな》である。

五月二十四日

コンプレックスは、あなたが強《つよ》く生《い》きていく力《ちから》となる。すべてのコンプレックスが、あなたの力《ちから》となる。

コンプレックスに苦《くる》しまなかった人《ひと》は、繊細《せんさい》な心《こころ》のメロディーがわからない。

コンプレックスで悩《なや》んだ分《ぶん》だけ、いじめられた分《ぶん》だけ、心《こころ》のひだは深《ふか》くなる。心《こころ》の響《ひび》きも豊《ゆた》かになり、人《ひと》の心《こころ》がわかる人間《にんげん》になれる。

五月二十五日

「もったいない」――この日本《にほん》の母《はは》の〝知恵《ちえ》の代名詞《だいめいし》〟ともいうべき言葉《ことば》が、環境問題《かんきょうもんだい》を打開《だかい》する道《みち》として、世界《せかい》に希望《きぼう》を広《ひろ》げている。

どんなものも無駄《むだ》にしないという慈《いつく》しみの心《こころ》――この「母《はは》の心《こころ》」が、命《いのち》を尊《とうと》ぶ心《こころ》、他者《たしゃ》を思《おも》いやる心《こころ》を育《はぐく》むからだ。

五月二十六日

親《おや》は子《こ》どもにとって、最《もっと》も身近《みぢか》な人生《じんせい》の先輩《せんぱい》ともいえる。平凡《へいぼん》であってよい。地味《じみ》であってよい。失敗《しっぱい》があってもよい。しかし、人間《にんげん》としてのたしかなる完成《かんせい》、また虚栄《きょえい》ではない、真実《しんじつ》の栄光《えいこう》を見《み》つめた自《みずか》らの生《い》き方《かた》の軌跡《きせき》を、子《こ》どもに示《しめ》せる存在《そんざい》でありたい。

五月二十七日

一日一日《いちにちいちにち》をていねいに生《い》きよう！
美《うつく》しいものをたくさん発見《はっけん》できる人《ひと》こそ、美《うつく》しい人《ひと》である。

五月二十八日

順調《じゅんちょう》な時《とき》ばかりでは、本当《ほんとう》の幸福《こうふく》を実感《じっかん》できるはずがない。険《けわ》しき山河《さんが》がありても、すべてを悠々《ゆうゆう》と乗《の》り越《こ》え、深《ふか》く人間《にんげん》の価値《かち》を知《し》りながら進《すす》むことだ。

そこには喜《よろこ》びがある。そこには満足《まんぞく》がある。そこには後悔《こうかい》がない。

五月二十九日

世界《せかい》を支《ささ》えているのは、一部《いちぶ》の偉《えら》ぶった指導者《しどうしゃ》などではない。目立《めだ》たなくても、自《みずか》らの使命《しめい》に生《い》き抜《ぬ》いている、お母《かあ》さんたちです。

五月三十日

花々《はなばな》も、毎日《まいにち》、成長《せいちょう》している。あらゆる緑《みどり》の木々《きぎ》も、成長《せいちょう》している。

人生《じんせい》もまた、成長《せいちょう》である。一日《いちにち》また一日《いちにち》、希望《きぼう》と努力《どりょく》を重《かさ》ねながら、最上《さいじょう》の幸福《こうふく》の自身《じしん》の運命《うんめい》を築《きず》くことだ。

決《けっ》して性急《せいきゅう》な跳躍《ちょうやく》をする必要《ひつよう》はない。

五月三十一日

日頃《ひごろ》、子《こ》どもに語《かた》りかけるひと言《こと》を大切《たいせつ》にしたい。日々《ひび》、子《こ》どもたちと一緒《いっしょ》に美《うつく》しいものを喜《よろこ》び、新《あたら》しいものを見《み》いだしていきたい。

心《こころ》を育《はぐく》むものは、心《こころ》である。

六月

六月一日

若《わか》さに生《い》き、若《わか》さを知《し》り、若《わか》さを発揮《はっき》した人《ひと》は、人生《じんせい》の究極《きゅうきょく》の道《みち》を、天使《てんし》の如《ごと》く誇《ほこ》り高《たか》く歩《あゆ》み、綴《つづ》っていく至福《しふく》の人《ひと》だ。

六月二日

本《ほん》を読《よ》む楽《たの》しさを知《し》らないということは、人生《じんせい》の巨大《きょだい》な損失《そんしつ》です。いっぱいの宝物《たからもの》に囲《かこ》まれながら、その価値《かち》を知《し》らないでいる人《ひと》のようだ。

読書《どくしょ》の喜《よろこ》びを知《し》れば、人生《じんせい》の深《ふか》さと大《おお》きさは、一変《いっぺん》する。

六月三日

逆境《ぎゃっきょう》に負《ま》けない、真《しん》の強《つよ》い自己《じこ》を築《きず》くカギは、貫《つらぬ》くこと、徹《てっ》することです。

六月四日

職場《しょくば》に一人《ひとり》の聡明《そうめい》な女性《じょせい》がいれば、どれほどか爽《さわ》やかな歓喜《かんき》の波《なみ》が広《ひろ》がっていくことだろう。

六月五日

心《こころ》こそが大切《たいせつ》である。
心《こころ》の弱《よわ》い人《ひと》に、幸福《こうふく》はない。
心《こころ》の汚《よご》れた人《ひと》に、幸福《こうふく》はない。
心《こころ》の強《つよ》い人《ひと》に、幸福《こうふく》は宿《やど》る。

六月六日

初代会長《しょだいかいちょう》の牧口常三郎先生《まきぐちつねさぶろうせんせい》は三《みっ》つの目的《もくてき》について語《かた》っている。「千《せん》メートル競走《きょうそう》のついでに百《ひゃく》メートルの競走《きょうそう》はできるが、百《ひゃく》メートル競走《きょうそう》のついでに千《せん》メートル競走《きょうそう》はできない。大目的《だいもくてき》が確立《かくりつ》してこそ、中目的《ちゅうもくてき》、小目的《しょうもくてき》が明確《めいかく》になり、その方法《ほうほう》も生《う》まれる」と。

人生《じんせい》というマラソンレースで勝利者《しょうりしゃ》になることが大切《たいせつ》なのである。

六月七日

頑張《がんば》るお母《かあ》さんを、子《こ》どもはじっと見《み》ていて、心《こころ》に刻《きざ》んでいます。その母《はは》の苦労《くろう》を忘《わす》れません。だから、道《みち》を外《はず》れることなく頑張《がんば》る。この母子《ははこ》の絆《きずな》をつくりあげることです。

六月八日

健康《けんこう》は勝《か》ち取《と》っていくものです。何《なに》を食《た》べ、どんな生活《せいかつ》を送《おく》るのか。決《き》めるのは自分自身《じぶんじしん》です。病気《びょうき》を治《なお》すことより、病気《びょうき》を防《ふせ》ぐことが第一《だいいち》の健康法《けんこうほう》なのです。

六月九日

家柄《いえがら》でもない。
学歴《がくれき》でもない。
容姿《ようし》でもない。
財産《ざいさん》でもない。
社会的地位《しゃかいてきちい》でもない。
幸福《こうふく》はあなた自身《じしん》の心《こころ》で決《き》まる。

六月十日

わが家《や》の平和《へいわ》といっても、苦労《くろう》や悩《なや》みが何《なに》もない状態《じょうたい》ではない。どんな嵐《あらし》のような時《とき》であっても、家族《かぞく》のなかに太陽《たいよう》が輝《かがや》いていればよいのです。その一家《いっか》の太陽《たいよう》こそ、お母《かあ》さんです。

六月十一日

晩年《ばんねん》の顔《かお》は、ごまかしがきかない。人生《じんせい》の年輪《ねんりん》が刻《きざ》まれ、隠《かく》しようがない。なかでも眼《め》は、雄弁《ゆうべん》にその人《ひと》を語《かた》る。

六月十二日

正《ただ》しき行動《こうどう》の人《ひと》は、たとえ無認識《むにんしき》な人《ひと》から軽蔑《けいべつ》され、非難《ひなん》されようとも、必《かなら》ず、その偉大《いだい》さが証明《しょうめい》されるようになる。また、真剣《しんけん》な行動《こうどう》は、心《こころ》ある人《ひと》の共感《きょうかん》の眼差《まなざ》しをひきつけずにはおかない。

六月十三日

子育《こそだ》てには忍耐《にんたい》が必要《ひつよう》です。人《ひと》を育《そだ》てることは、本当《ほんとう》に手《て》のかかるものです。すぐに思《おも》い通《どお》りにいかなくて当《あ》たり前《まえ》です。子育《こそだ》て、人材育成《じんざいいくせい》に関《かん》しては、「労少《ろうすく》なくして功多《こうおお》し」ということはあり得《え》ません。

六月十四日

華《はな》やかな境遇《きょうぐう》や格好《かっこう》に憧《あこが》れたり、うらやんだり——浅《あさ》はかな見栄《みえ》に左右《さゆう》されることは、愚《おろ》かである。愚《おろ》かであることは、不《ふ》幸《こう》である。

一歩《いっぽ》、深《ふか》く賢《かしこ》く、人間《にんげん》の生《い》きざまを見抜《みぬ》くことだ。その人《ひと》は哲学者《てつがくしゃ》である。ゆえに常《つね》に、幸福《こうふく》の命《いのち》をもっている人《ひと》だ。

六月十五日

子《こ》どもの人格《じんかく》を尊重《そんちょう》するとき、子《こ》どもは人間尊重《にんげんそんちょう》を学《まな》ぶ。家《か》庭《てい》にあって、小《ちい》さなよき社会人《しゃかいじん》として育《そだ》つのである。

六月十六日

自分自身《じぶんじしん》の心《こころ》の決意《けつい》の仕方《しかた》で、いかようにも、人生《じんせい》は勝利《しょうり》できる。幸福《こうふく》になれる。それは、歴史《れきし》が証明《しょうめい》している。

六月十七日

正義《せいぎ》の女性《じょせい》の雄弁《ゆうべん》に、かなうものはない。
真剣《しんけん》な女性《じょせい》の声《こえ》に、勝《まさ》るものはない。

六月十八日

「相対的幸福《そうたいてきこうふく》」とは、経済的《けいざいてき》な豊《ゆた》かさや社会的《しゃかいてき》な地位《ちい》など、自分《じぶん》の外《そと》の世界《せかい》から得《え》られる幸福《こうふく》である。それは、ひとたび環境《かんきょう》や条件《じょうけん》が変《か》われば、いともたやすく崩《くず》れ去《さ》ってしまうものだ。

それに対《たい》して、「絶対的幸福《ぜったいてきこうふく》」とは、いかなる困難《こんなん》や試練《しれん》にも負《ま》けることなく、生《い》きていること自体《じたい》が楽《たの》しくて仕方《しかた》ないという境涯《きょうがい》の確立《かくりつ》である。

六月十九日

生《い》きる歓《よろこ》びをもてる人《ひと》は、幸福《こうふく》の女王《じょおう》である。
生《い》きる歓《よろこ》びを見《み》いだせる人《ひと》は、魂《たましい》の勝利者《しょうりしゃ》である。

六月二十日

子《こ》どもが本当《ほんとう》に悩《なや》んでいる時《とき》に、両親《りょうしん》がちぐはぐなことを言《い》っては、子《こ》どもが迷《まよ》ってしまう。

夫婦《ふうふ》の連携《れんけい》と心構《こころがま》えが大切《たいせつ》です。子《こ》どもの話《はなし》をよく聞《き》いてあげて、心《こころ》から安心《あんしん》できるようにしてあげたいものです。

六月二十一日

人間関係《にんげんかんけい》には、その人《ひと》の境涯《きょうがい》が表《あらわ》れる。人間関係《にんげんかんけい》を広《ひろ》げることとは、境涯《きょうがい》を広《ひろ》げることに通《つう》じる。

六月二十二日

苦労《くろう》のない人生《じんせい》はどこにもない。行動《こうどう》しなければ、いつまでたっても、幸福《こうふく》はやって来《こ》ない。現実《げんじつ》は厳《きび》しいに決《き》まっている。ゆえに、その現実《げんじつ》に翻弄《ほんろう》されるのではなく、進《すす》んで現実《げんじつ》に挑《いど》み、生命《いのち》の鍛錬《たんれん》の場《ば》としていくのだ。

六月二十三日

子《こ》どもたちの成長《せいちょう》は、大人《おとな》たちの成長《せいちょう》にかかっている。
ゆえに、教育《きょういく》とは、子《こ》どもたちのために何《なに》ができるかという、
自《みずか》らの生《い》き方《かた》をかけた、大人《おとな》たちの挑戦《ちょうせん》にほかならない。

六月二十四日

雨《あめ》の日《ひ》には雨《あめ》を楽《たの》しみ、
風《かぜ》の日《ひ》には風《かぜ》の声《こえ》に耳《みみ》を傾《かたむ》ける。
困《こま》っている人《ひと》を見《み》たら、
すぐに体《からだ》が動《うご》いていく。
そうした人生《じんせい》の詩《し》を生《い》きるお母《かあ》さんの姿《すがた》は、言葉《ことば》以上《いじょう》に豊《ゆた》か
に子《こ》どもたちの心《こころ》を育《はぐく》むに違《ちが》いない。

六月二十五日

奥深《おくぶか》い人生《じんせい》の山《やま》や谷《たに》に、汗《あせ》を流《なが》して分《わ》け入《い》っていかなければ、幸福《こうふく》のダイヤモンドは採掘《さいくつ》できない。賑《にぎ》やかな街《まち》で遊《あそ》び、楽《らく》をしているばかりでは、決《けっ》して幸福《こうふく》のダイヤモンドを磨《みが》くこともできない。

六月二十六日

あなたの笑顔《えがお》に、人《ひと》はあなたの優《やさ》しさを感《かん》じる。
苦《くる》しく、つらい時《とき》があるかもしれない。
しかし、あなたの笑顔《えがお》があるかぎり、温《あたた》かな世界《せかい》が広《ひろ》がることを忘《わす》れてはならない。

六月二十七日

挑戦《ちょうせん》の魂《たましい》に行《い》き詰《づ》まりはない。「幸運《こううん》は、挑戦《ちょうせん》する人間《にんげん》にこそ微笑《ほほえ》む」との西洋《せいよう》のことわざがあるが、すべては行動《こうどう》から始《はじ》まる。行動《こうどう》を開始《かいし》すれば、知恵《ちえ》がわく。

六月二十八日

ほかの人《ひと》には当《あ》たり前《まえ》のようなことでも、自分《じぶん》にはわからなかったり、できなかったりすれば、誰《だれ》だって落《お》ち込《こ》んでしまう。しかし、大切《たいせつ》なのは、そこからどうするかです。何《なに》ごとも、最初《さいしょ》から完璧《かんぺき》な人《ひと》などいません。つまずいたら、「よし、頑張《がんば》ろう」「さあ、これからだ」と立《た》ちあがればいいのです。

六月二十九日

母《はは》を思《おも》い浮《う》かべる時《とき》、人《ひと》は優《やさ》しくなれる。清《きよ》らかな心《こころ》を蘇《よみがえ》らせることができる。

誰《だれ》にも、お母《かあ》さんがいます。あの人《ひと》も、この人《ひと》も、すべての人《ひと》にお母《かあ》さんがいるのです。

たとえお母《かあ》さんがこの世《よ》にいなくても、母《はは》なる存在《そんざい》を、必《かなら》ず心《こころ》にもっている。

六月三十日

よい環境《かんきょう》はよい人間《にんげん》をつくる。自《みずか》ら、そうしたよい環境《かんきょう》、よい人間《にんげん》のつながりを求《もと》めていく人《ひと》は、かぎりなく伸《の》びていける。

七月

七月一日

今日《きょう》も、荒《あ》れ狂《くる》う喧噪《けんそう》の人間世界《にんげんせかい》の現実《げんじつ》のなかで、笑《え》みを浮《う》かべて、あなたの課題《かだい》をひとつまたひとつと仕上《しあ》げていくことだ！

七月二日

私も若《わか》い頃《ころ》、働《はたら》きながら夜学《やがく》で学《まな》んだ。人間《にんげん》、苦労《くろう》して学《まな》んだことしか血肉《ちにく》にならない。

人一倍《ひといちばい》の苦労《くろう》をすればこそ、人《ひと》の痛《いた》みがわかる人間《にんげん》になれる。

何《なん》の苦労《くろう》もせず、人《ひと》の心《こころ》がわからないままで、社会《しゃかい》の本物《ほんもの》のリーダーになることなどできない。

七月三日

師弟《してい》の道《みち》こそ、正《ただ》しい人生《じんせい》をまっとうするための要諦《ようてい》である。師弟《してい》の道《みち》を見失《みうしな》い、自己《じこ》の原点《げんてん》をなくした場合《ばあい》には、大切《たいせつ》にしてきた大目的《だいもくてき》をも忘《わす》れ、小《ちい》さな自身《じしん》のエゴと虚飾《きょしょく》に陥《おちい》ってしまうことが、あまりに多《おお》い。

七月四日

ニューヨークの「自由《じゆう》の女神《めがみ》」の顔《かお》は、作者《さくしゃ》バルトルディのお母《かあ》さんがモデルであるといわれている。

苦労《くろう》して自分《じぶん》を育《そだ》ててくれた母《はは》——彼《かれ》は感謝《かんしゃ》の思《おも》いを、形《かたち》にしたかったのかもしれない。また、子《こ》どもにとって、母《はは》の顔《かお》はいちばん美《うつく》しく、尊《とうと》いものなのかもしれない。

母《はは》の恩《おん》に応《こた》えたい——そうした思《おも》いを、本来《ほんらい》、誰《だれ》しも、生命《せいめい》の奥底《おうてい》にもっている。

七月五日

誰《だれ》しも転《ころ》ぶことはある。転《ころ》んだら、また立《た》ち上《あ》がればいい。立《た》ち上《あ》がって、まっすぐ前《まえ》を向《む》いて進《すす》んでいくことだ。青春《せいしゅん》に、取《と》り返《かえ》しのつかない失敗《しっぱい》などないのだから！

七月六日

病魔《びょうま》に負《ま》けるな！
断《だん》じて負《ま》けるな！
あなたの生命《いのち》のなかに太陽《たいよう》がある。

七月七日

わが生命《せいめい》を最大限《さいだいげん》に充実《じゅうじつ》させながら、自身《じしん》の人生《じんせい》を満喫《まんきつ》し、後悔《こうかい》なく、人《ひと》びとへの貢献《こうけん》をなしゆく人《ひと》は、人間《にんげん》らしい人間《にんげん》である。ここに人間《にんげん》の栄光《えいこう》の扉《とびら》が開《ひら》かれるからだ。

七月八日

いかに現実《げんじつ》が多事多難《たじたなん》であろうとも、ここから離《はな》れて、幸福《こうふく》の大地《だいち》はどこにもない。
ゆえに断《だん》じて、今《いま》、自分《じぶん》がいる場所《ばしょ》で勝《か》つことだ。

七月九日

目先《めさき》のことばかりにとらわれて、あれこれと揺《ゆ》れ動《うご》く人生《じんせい》は、愚《おろ》かである。

自分自身《じぶんじしん》の胸中《きょうちゅう》には、つねに充実《じゅうじつ》という心《こころ》の宮殿《きゅうでん》が輝《かがや》いている――そんな、はつらつたる人生《じんせい》でありたい。

七月十日

自《みずか》らが決《き》めた道《みち》を歩《あゆ》めること自体《じたい》、幸福《こうふく》なのである。ゆえに、健康《けんこう》な時《とき》に労《ろう》を惜《お》しまず、働《はたら》くことである。努力《どりょく》することである。前進《ぜんしん》することである。

七月十一日

自分《じぶん》は、自分自身《じぶんじしん》の使命《しめい》を帯《お》びて生《う》まれてきた。それを、人《ひと》のうわべの姿《すがた》だけを見《み》て、人《ひと》と自分《じぶん》を比《くら》べ、あの人《ひと》は幸福《こうふく》そうで、私は貧《まず》しいと比較《ひかく》する。それは、最《もっと》も愚《おろ》かなことだ。

七月十二日

若《わか》き日《ひ》の誓《ちか》いを、生涯《しょうがい》、貫《つらぬ》ける人《ひと》は偉大《いだい》である。幸福《こうふく》である。

七月十三日

親《おや》を亡《な》くして、「こんな時《とき》に父親《ちちおや》がいてくれれば」「母親《ははおや》がいたら」と思《おも》うこともあるかもしれない。

しかし、父《ちち》も母《はは》も、心《こころ》のなかに永遠《えいえん》に生《い》きている。

釈尊《しゃくそん》もまた、生《う》まれてすぐに、母親《ははおや》を亡《な》くした。「親《おや》がいなくても、人間《にんげん》は偉大《いだい》になれる」と身《み》をもって示《しめ》したのです。

七月十四日

恩師《おんし》・戸田先生《とだせんせい》が、「晴《は》れの日《ひ》であれば、晴《は》れの日《ひ》は何《なに》をするのか、それを考《かんが》えよ。晴《は》れの日《ひ》も、雨《あめ》の日《ひ》も、曇《くも》りの日《ひ》も、同《おな》じことをするのは愚《おろ》かである」と言《い》われていたことを思《おも》い出《だ》す。その日《ひ》、その時《とき》に応《おう》じて、最《もっと》も価値的《かちてき》な行動《こうどう》を起《お》こしていくことが大事《だいじ》である。

七月十五日

富《と》める家《いえ》に生《う》まれたから、幸福《こうふく》ではない。

貧《まず》しい家《いえ》に生《う》まれたから、不幸《ふこう》ではない。

名声《めいせい》の一家《いっか》に育《そだ》ったから、幸福《こうふく》ではない。

さまざまな苦《くる》しみのなかを、泣《な》きながら生《い》き抜《ぬ》くなかに、普《ふ》遍《へん》の幸福《こうふく》が築《きず》かれていくのだ。

大勢《おおぜい》の悩《なや》める人《ひと》に希望《きぼう》を贈《おく》れる生命《いのち》が輝《かがや》いていくのだ。

七月十六日

自《みずか》ら求《もと》めて、苦労《くろう》をしていってほしい。そして、同《おな》じ苦労《くろう》をするならば、大《おお》きな理想《りそう》のために苦労《くろう》してもらいたい。自分《じぶん》の小《ちい》さな殻《から》に閉《と》じこもるのではなく、友《とも》のため、社会《しゃかい》のため、そして人類《じんるい》のためという大《おお》いなる理想《りそう》を掲《かか》げて、学《まな》んでいくことだ。

七月十七日

師《し》の恩《おん》を忘《わす》れず、また友情《ゆうじょう》を大切《たいせつ》に育《はぐく》んでいく――。一見《いっけん》、平凡《へいぼん》のように見《み》えるが、決《けっ》してそうではない。こうした振舞《ふるま》いのなかに、実《じつ》は人間性《にんげんせい》の最《もっと》も美《うつく》しい発露《はつろ》があり、人間性《にんげんせい》の真髄《しんずい》がある。

七月十八日

人生《じんせい》、すべてが順調《じゅんちょう》というわけにはいかない。勝《か》つ場合《ばあい》も、負《ま》ける場合《ばあい》もある。しかし、仮《かり》に一時《いっとき》は敗北《はいぼく》しても、自分自身《じぶんじしん》に負《ま》けてはいけない。

今《いま》、どんな境遇《きょうぐう》にあったとしても、自分自身《じぶんじしん》に勝《か》っているかぎり、その人《ひと》は勝者《しょうしゃ》である。

七月十九日

「心《こころ》こそ大切《たいせつ》なれ」

真実《しんじつ》の幸福《こうふく》と勝利《しょうり》は、あなた自身《じしん》の胸中《きょうちゅう》で決定《けってい》されるのだ。

七月二十日

日常《にちじょう》はささいなことの連続《れんぞく》かもしれない。しかし、一瞬《いっしゅん》一瞬《いっしゅん》の微妙《びみょう》な心《こころ》のもち方《かた》によって、大《おお》きく幸福《こうふく》を開《ひら》いていくことができる。

その心《こころ》とは――

「賢明《けんめい》なる心《こころ》」

「建設《けんせつ》の心《こころ》」

「勝《か》ち抜《ぬ》く心《こころ》」

「善悪《ぜんあく》を見極《みきわ》める心《こころ》」

「人《ひと》びとを救《すく》いゆく勇気《ゆうき》の心《こころ》」である。

七月二十一日

子《こ》どもにとって母親《ははおや》は、この世《よ》でただ一人《ひとり》の存在《そんざい》であり、誰《だれ》も代《か》わりはできない、絶対《ぜったい》の信頼《しんらい》と安心《あんしん》の拠《よ》り所《どころ》です。

七月二十二日

人生《じんせい》は決《けっ》して平《へい》たんな道《みち》ばかりではない。晴《は》れの日《ひ》もあれば、曇《くも》りや雨《あめ》の日《ひ》もあるだろう。けれども、人生《じんせい》の道《みち》から逃《に》げることはできない。一歩《いっぽ》また一歩《いっぽ》と歩《あゆ》み続《つづ》けなければならない。

その挑戦《ちょうせん》の道《みち》に、感傷《かんしょう》や悲嘆《ひたん》や悲観《ひかん》はいらない。私はただひとつ、明朗《めいろう》という宝《たから》をもって、わが人生《じんせい》の大道《たいどう》を進《すす》みたい。

七月二十三日

人《ひと》は、助《たす》けたり、助《たす》けられたりして生《い》きていく。それが正《ただ》しい。そうすれば、助《たす》けた人《ひと》も、助《たす》けられた人《ひと》も、嬉《うれ》しい。だから、荷物《にもつ》が重《おも》すぎる時《とき》は、一緒《いっしょ》に持《も》ってもらえばよい。それは、人《ひと》を助《たす》ける喜《よろこ》びを周《まわ》りに与《あた》えることにもなる。

一人《ひとり》で、荷物《にもつ》の前《まえ》に座《すわ》り込《こ》んでいなくていい。そして、重《おも》い荷物《にもつ》を持《も》っている人《ひと》がいたら、張《は》りきって、助《たす》けてあげるのだ。

七月二十四日

夏休《なつやす》みは勉強《べんきょう》も大事《だいじ》だが、家《いえ》の手伝《てつだ》いなどに挑戦《ちょうせん》するのも大切《たいせつ》なことだ。

「何《なに》かひとつ」やり抜《ぬ》くことが、子《こ》どもの自信《じしん》につながる。

親子《おやこ》で一緒《いっしょ》に何《なに》かに挑戦《ちょうせん》することは、尊《とうと》い思《おも》い出《で》になる。

七月二十五日

賢《かしこ》い人《ひと》であれ
聡明《そうめい》な人《ひと》であれ
明《あか》るい人《ひと》であれ
強《つよ》い人《ひと》であれ
そして――
優《やさ》しい人《ひと》であれ

七月二十六日

成長《せいちょう》していく子《こ》どもの姿《すがた》を正《ただ》しく認識《にんしき》し、それにふさわしい対話《たいわ》を持続《じぞく》していくことである。そのためにも、母親《ははおや》は、つねに、自己自身《じこじしん》の成長《せいちょう》をはかることが大切《たいせつ》であろう。

七月二十七日

「使命《しめい》がある」ことと「使命《しめい》を自覚《じかく》する」こととは違《ちが》う。自覚《じかく》しないままに、自分《じぶん》をダメにしては、あまりにももったいない。使命《しめい》を自覚《じかく》すれば、無限《むげん》の活力《かつりょく》が湧《わ》く。

七月二十八日

自然《しぜん》も、世界《せかい》も、宇宙《うちゅう》も、一瞬《いっしゅん》として止《と》まってはいない。向《こう》上心《じょうしん》を失《うしな》った瞬間《しゅんかん》から、すでに人生《じんせい》の退歩《たいほ》が始《はじ》まる。

七月二十九日

テレビにも、いい面《めん》と悪《わる》い面《めん》がある。テレビをきっかけに親《おや》と子《こ》の対話《たいわ》を深《ふか》める、というぐらいの余裕《よゆう》があってもいい。小学生《しょうがくせい》の時《とき》、難民《なんみん》の悲惨《ひさん》な状況《じょうきょう》を伝《つた》える番組《ばんぐみ》を見《み》て、「この人《ひと》たちを救《すく》うには、医者《いしゃ》になるしかない」と決意《けつい》し、それから一《いっ》生懸命《しょうけんめい》に勉強《べんきょう》して、医学《いがく》の道《みち》を歩《あゆ》み、活躍《かつやく》している人《ひと》もいる。

七月三十日

喜劇王《きげきおう》チャップリンは、晩年《ばんねん》にいたるまで「あなたの最高傑作《さいこうけっさく》は？」という質問《しつもん》に対《たい》して、いつも「ネクスト・ワン（次《つぎ》の作品《さくひん》）」と答《こた》えたという。

挑戦《ちょうせん》の魂《たましい》に行《い》き詰《づ》まりはない。道《みち》があるから歩《ある》くのではなく、歩《ある》くから道《みち》ができるのだ。

七月三十一日

「私には関係《かんけい》ない」というのは楽《らく》かもしれない。しかし、この「私には関係《かんけい》ない」が、人間《にんげん》を小《ちい》さくする。

「私には関係《かんけい》ない」と、つぶやくたびに、自分《じぶん》の人間《にんげん》らしさが削《けず》られ、どんどん消《き》えていってしまう。

わが社会《しゃかい》を平和《へいわ》にしゆく女性《じょせい》が、平和《へいわ》の天使《てんし》なのである。

八月

八月一日

理想《りそう》があるから青春《せいしゅん》です。理想《りそう》があるから人生《じんせい》です。理想《りそう》のない人《ひと》は、寂《さび》しい。

反対《はんたい》に、生涯《しょうがい》、わが理想《りそう》を求《もと》めて生《い》きる人《ひと》は、どんなに年《とし》をとっていても、心《こころ》は永遠《えいえん》に青年《せいねん》です。

八月二日

母《はは》を忘《わす》れたならば動物《どうぶつ》となる、と言《い》った哲学者《てつがくしゃ》がいた。
人生《じんせい》は、母《はは》を思《おも》い出《だ》しながら奮起《ふんき》して立《た》ちあがるのだ。

八月三日

かつて、恩師《おんし》・戸田先生《とだせんせい》は、女性《じょせい》たちを励《はげ》ますために、こう言《い》われました。

「自分《じぶん》のいる場所《ばしょ》を幸《しあわ》せにできない者《もの》が、どこを幸《しあわ》せにできるのか」と。

八月四日

この世《よ》で尊《とうと》く、信《しん》じられるもの――それは友情《ゆうじょう》である。
人間《にんげん》としての究極《きゅうきょく》の証《あかし》は友情《ゆうじょう》である。

八月五日

自分《じぶん》が変《か》わった時《とき》、環境《かんきょう》も劇的《げきてき》に変《か》わる。それが「人間革命《にんげんかくめい》」の法則《ほうそく》である。

断《だん》じて負《ま》けない！　絶対《ぜったい》に勝《か》ってみせる！　そう一念《いちねん》を定《さだ》めた時《とき》、あらゆる困難《こんなん》は、人間革命《にんげんかくめい》のためのバネとなり、わが生命《せいめい》を荘厳《そうごん》する宝《たから》となる。

八月六日

子《こ》どもたちが、長《なが》い一生《いっしょう》を生《い》き抜《ぬ》いていくうえで、心《こころ》の支《ささ》えとなっていくような、キラリと光《ひか》る思《おも》い出《で》を残《のこ》してあげたい。特《とく》に、夏休《なつやす》みは、その絶好《ぜっこう》のチャンスであろう。

それは、何《なに》か特別《とくべつ》なことではない。お金《かね》をかけなければできない、というものでもない。

たとえば、空《そら》があり、星《ほし》があり、そして、母親《ははおや》の愛情《あいじょう》と智慧《ちえ》があれば、そこから、親子《おやこ》で、心躍《こころおど》る夏《なつ》の物語《ものがたり》をつくっていくことができる。

八月七日

青年《せいねん》は無限《むげん》の可能性《かのうせい》を秘《ひ》めている。いくらでも成長《せいちょう》していける。すべては自分自身《じぶんじしん》の心《こころ》、一念《いちねん》で決《き》まる。

八月八日

鍛《きた》えの中《なか》からしか、個《こ》性《せい》は輝《かがや》かない。見《み》事《ごと》に自《じ》分《ぶん》の個《こ》性《せい》を鍛《きた》えあげた人《ひと》は、美《うつく》しい。誰《だれ》が見《み》ても、ほれぼれするほど美《うつく》しい。すぐ消《き》えてしまう一《いっ》時《とき》の美《び》ではなく、ずっと続《つづ》く一《いっ》生《しょう》涯《がい》の美《び》です。

八月九日

いかなる分野《ぶんや》にも、〝浅深《せんじん》〟がある。人生《じんせい》にあっても同《おな》じである。自分一人《じぶんひとり》のために生《い》きるのか、より大《おお》きな価値《かち》のために生《い》きるのか。

大《おお》いなる理想《りそう》のために生《い》きるには、強靭《きょうじん》なる決意《けつい》と勇気《ゆうき》が必要《ひつよう》である。その決意《けつい》と勇気《ゆうき》に立《た》てるか否《いな》か。そこに人間《にんげん》としての真価《しんか》が問《と》われるのである。

八月十日

元気《げんき》な母《はは》の顔《かお》は、皆《みな》に幸《しあわ》せの香《かお》りを与《あた》える。

八月十一日

家庭教育《かていきょういく》の最大《さいだい》にして最重要《さいじゅうよう》の眼目《がんもく》は、心《こころ》を育《はぐく》むことです。人《ひと》の心《こころ》がわかり、行動《こうどう》できる人《ひと》こそが、本当《ほんとう》に心《こころ》の強《つよ》い人間《にんげん》です。

そのためにも、親《おや》の生《い》き方《かた》を通《とお》して、子《こ》どもの心《こころ》を鍛《きた》えることです。その急所《きゅうしょ》さえ外《はず》さなければ、ほかのことはいくらでも後《あと》で取《と》り返《かえ》しがきくものです。

八月十二日

いかに生《い》きたか。いかに世《よ》の中《なか》の役《やく》に立《た》ったか。

無名《むめい》であっても、立派《りっぱ》な家《いえ》に住《す》んでいなくても、誠実《せいじつ》に、人《ひと》びとのために尽《つ》くしていく人《ひと》こそ、心《こころ》の財宝《ざいほう》を積《つ》んでいける。

その人《ひと》こそ、本当《ほんとう》の幸福《こうふく》を実感《じっかん》できる。

八月十三日

おじぎの仕方《しかた》ひとつで、「いいな。素晴《すば》らしいな」と、さわやかな余韻《よいん》を残《のこ》し、ご両親《りょうしん》の風格《ふうかく》までしのばせる人《ひと》がいるものだ。家庭《かてい》にどんな風《かぜ》が吹《ふ》いているか。子《こ》どもはその家風《かふう》を胸《むね》いっぱいに吸《す》い込《こ》んで大《おお》きくなる。

八月十四日

師《し》との思《おも》い出《で》をもつ人生《じんせい》は美《うつく》しい。豊《ゆた》かである。師《し》との思《おも》い出《で》を大切《たいせつ》に温《あたた》め、師《し》を誇《ほこ》りとし、師《し》の理想《りそう》を実現《じつげん》していく——そこに幸福《こうふく》な、人間《にんげん》としての道《みち》がある。

八月十五日

わが友《とも》を幸福《こうふく》にしゆく女性《じょせい》が、幸福《こうふく》の博士《はかせ》なのである。
わが社会《しゃかい》を平和《へいわ》にしゆく女性《じょせい》が、平和《へいわ》の天使《てんし》なのである。

八月十六日

夢《ゆめ》と現実《げんじつ》を結《むす》ぶ橋《はし》は努力《どりょく》である。努力《どりょく》する人《ひと》には希望《きぼう》がわいてくる。希望《きぼう》とは、努力《どりょく》から生《う》まれる。

八月十七日

世間体《せけんてい》など、気《き》にする必要《ひつよう》はない。
どこまでも自分自身《じぶんじしん》が、最高《さいこう》の宝《たから》をもっているのだ。
自《みずか》らの命《いのち》に生《い》きよ！

八月十八日

先哲《せんてつ》の言葉《ことば》に「蔵《くら》の財《ざい》より身《み》の財《ざい》が優《すぐ》れ、身《み》の財《ざい》より心《こころ》の財《ざい》がさらに優《すぐ》れている」とあります。

老《お》いた親《おや》にとって何《なに》より嬉《うれ》しいことは、子《こ》どもの注《そそ》いでくれる愛情《あいじょう》であり、心《こころ》の財《ざい》です。

八月十九日

何《なに》があろうとも、その場《ば》で、自分《じぶん》なりに、悔《く》いなく、精一杯《せいいっぱい》生《い》きることだ。そして、自《みずか》らの力《ちから》で、自《みずか》らの運命《うんめい》を切《き》り開《ひら》いていくことだ。

八月二十日

子《こ》どもというのは、たとえ母親《ははおや》の忙《いそが》しい状況《じょうきょう》をわかっていても、自分《じぶん》のほうを向《む》いて、ちゃんと見《み》ていてほしいものなのです。

それは幼《おさな》い子《こ》どもだけではありません。大《おお》きくなれば大《おお》きくなったで、節目節目《ふしめふしめ》で受《う》け止《と》めてほしいと感《かん》じるものなのです。

八月二十一日

人《ひと》は、いろいろな人《ひと》びととの出会《であ》いを通《とお》して、自分《じぶん》を拡大《かくだい》し、人間《にんげん》としての成長《せいちょう》を遂《と》げていく。人間《にんげん》のなかで、もまれてこそ、人格《じんかく》が磨《みが》かれていくのです。

八月二十二日

心《こころ》の力《ちから》は偉大《いだい》である。心《こころ》には、距離《きょり》をも、時《とき》をも超《こ》える力《ちから》がある。夫婦《ふうふ》の心《こころ》、家族《かぞく》の心《こころ》、友情《ゆうじょう》の心《こころ》——。離《はな》れていても、心《こころ》は自在《じざい》に結《むす》び合《あ》える。

八月二十三日

どうして自分《じぶん》だけが……
どうして私だけが……
何《なに》も嘆《なげ》くことはない！
決《けっ》してあきらめることはない！
勝負《しょうぶ》は一生《いっしょう》で決《き》まる。途中《とちゅう》ではない。最後《さいご》に晴《は》れ晴《ば》れと勝《か》てばよいのだ。

八月二十四日

いずこの世界《せかい》であれ、ひとたび決《き》めた師弟《してい》の道《みち》に生《い》き抜《ぬ》く人《ひと》の姿《すがた》は美《うつく》しい。また尊《とうと》く、つねに新鮮《しんせん》な向上《こうじょう》の人生《じんせい》となる。

八月二十五日

強《つよ》いことが、幸福《こうふく》である。
弱《よわ》さは不幸《ふこう》に通《つう》じる。
強《つよ》い心《こころ》の女性《じょせい》、芯《しん》の強《つよ》い女性《じょせい》になってもらいたい。

八月二十六日

ともすれば、人間《にんげん》は年《とし》をとると前進《ぜんしん》の気概《きがい》を失《うしな》ってしまうことが多《おお》い。そこで一歩《いっぽ》退《しりぞ》くか、一歩《いっぽ》踏《ふ》み出《だ》すかは微妙《びみょう》な一念《いちねん》の差《さ》である。

そこに一歩《いっぽ》踏《ふ》み出《だ》す勇気《ゆうき》をもて！　人生《じんせい》の総仕上《そうしあ》げの決定的《けっていてき》な勝利《しょうり》の道《みち》が開《ひら》かれるからだ。

八月二十七日

人知《ひとし》れぬところで、ひたすら自身《じしん》を磨《みが》き、学《まな》びに徹《てっ》した人《ひと》こそ、必《かなら》ずや勝利《しょうり》の人生《じんせい》を開《ひら》き、たしかな歴史《れきし》を残《のこ》していくものだ。

八月二十八日

目《め》立《だ》たなくても、ちやほやされなくても、黙々《もくもく》と自分《じぶん》の夢《ゆめ》に向《む》かって努力《どりょく》している人《ひと》——その人《ひと》こそ、本当《ほんとう》に魅力《みりょく》ある人《ひと》です。

八月二十九日

限《かぎ》りある人生《じんせい》。どうせ生《い》きるならば、「あの人《ひと》の生《い》きたように！」と、後世《こうせい》の人《ひと》に希望《きぼう》と勇気《ゆうき》をおくる人生《じんせい》でありたい。

八月三十日

「病気《びょうき》になって、初《はじ》めて人生《じんせい》について深《ふか》く考《かんが》え始《はじ》めた」という人《ひと》は少《すく》なくない。病気《びょうき》になって、改《あらた》めて家族《かぞく》の大切《たいせつ》さ、愛情《あいじょう》の大切《たいせつ》さに目覚《めざ》めることも多《おお》い。

病気《びょうき》さえも人生《じんせい》を豊《ゆた》かに彩《いろど》る糧《かて》としていくことができる。

八月三十一日

どうすれば、自分《じぶん》の心《こころ》が歓喜《かんき》で満《み》ちていくか。それには、人《ひと》に生《い》きる喜《よろこ》びを与《あた》える自分《じぶん》になることです。家族《かぞく》や、周囲《しゅうい》の人《ひと》びとに、喜《よろこ》びと希望《きぼう》を与《あた》えていけばいくほど、自分《じぶん》の心《こころ》は豊《ゆた》かになっていく。生《い》き生《い》きと弾《はず》んでいく。輝《かがや》いていくからだ。

九月

九月一日

人《ひと》びとよりも早《はや》く、朝《あさ》の大気《たいき》を吸《す》いながら、幸福《こうふく》と平和《へいわ》を願《ねが》い行動《こうどう》しゆく人《ひと》の姿《すがた》は、尊《とうと》く荘厳《そうごん》である。

九月二日

子《こ》どもを残《のこ》して出《で》かける時《とき》には、ひと言《こと》、声《こえ》をかけることです。「今日《きょう》は、ここへ行《い》ってくるよ」「何時《なんじ》には帰《かえ》りますよ」と。また帰《かえ》ってきたら、「ただいま」「ありがとう」と声《こえ》をかける。たとえ、子《こ》どもが先《さき》に休《やす》んでいても、「よく留守番《るすばん》しててくれたね」「おかげで、お母《かあ》さん頑張《がんば》れたよ」と、耳元《みみもと》で優《やさ》しく感謝《かんしゃ》の思《おも》いを込《こ》めて、声《こえ》をかけていくことです。

九月三日

悲《かな》しみを糧《かて》にして、もっと大《おお》きな自分《じぶん》になればいい。もっと素敵《すてき》な自分《じぶん》になればいい。苦《くる》しんだあなただからこそ、そうなれる。

顔《かお》をあげればいい。自分《じぶん》は一生懸命生《いっしょうけんめいい》きたのだから、最高《さいこう》の勝利者《しょうりしゃ》なのである。

自分《じぶん》で自分《じぶん》を励《はげ》ますことだ。

九月四日

私が小学校《しょうがっこう》五年生《ごねんせい》の頃《ころ》の秋《あき》でした。わが家《や》が、風速《ふうそく》三十三メートルほどの大《おお》きな台風《たいふう》に襲《おそ》われたことがあります。

兄《あに》たちは、兵隊《へいたい》にとられて家《いえ》にはいない。真《ま》っ暗《くら》な家《いえ》のなか、幼《おさな》い子《こ》どもたちの不安《ふあん》は募《つの》りました。しかし、その時《とき》です。

父《ちち》が、厳《げん》として、「怖《こわ》くない！」と言《い》ったのです。母《はは》も、毅然《きぜん》と、「お父《とう》さんがいるから、絶対《ぜったい》に心配《しんぱい》ないよ！」と。

この父母《ふぼ》のひと言《こと》に、どれだけ、ほっとし、勇気《ゆうき》がわいてきたことか。私は、今《いま》でも鮮烈《せんれつ》に思《おも》い出《だ》します。

九月五日

人間《にんげん》、孤独《こどく》では生《い》きていけない。独《ひと》りで自分勝手《じぶんかって》に生《い》きることが自由《じゆう》で幸《しあわ》せのように見《み》えることもあろうが、実際《じっさい》はそうではない。人《ひと》との連帯《れんたい》、励《はげ》ましあいのなかでこそ、人間《にんげん》は生《い》きがいをもち、使命感《しめいかん》や向上心《こうじょうしん》を失《うしな》わずに進《すす》んでいくことができる。

九月六日

私の母《はは》は多《おお》くの子《こ》を育《そだ》てた。苦労《くろう》の多《おお》かった人生《じんせい》の坂道《さかみち》を、無言《むごん》の力強《ちからづよ》さで黙々《もくもく》と歩《あゆ》んだ。

そんな母《はは》の最後《さいご》の言葉《ことば》は「私の人生《じんせい》は勝《か》ったよ」だった。

九月七日

大勢《おおぜい》の人《ひと》に尽《つ》くす。その人《ひと》がいちばん偉《えら》い。どんな有名人《ゆうめいじん》よりも、権力者《けんりょくしゃ》よりも偉《えら》い。

人生《じんせい》の最期《さいご》に、みんなが「ああ、あの人《ひと》のおかげで、私は幸《しあわ》せになったんだ。あの人《ひと》の励《はげ》ましで、私は立《た》ちあがれたんだ」と、慕《した》って集《あつ》まってくる。そういう人《ひと》が、人間《にんげん》としていちばん偉《えら》い。そして、いちばん幸福《こうふく》です。

九月八日

「声美人《こえびじん》」「手美人《てびじん》」という言葉《ことば》があるが、お母《かあ》さんの声《こえ》、お母《かあ》さんの手《て》ほど美《うつく》しいものはない。

子《こ》どもをあやし、子《こ》どもを呼《よ》ぶ母《はは》の声《こえ》。おむつを換《か》え、ご飯《はん》をつくり、服《ふく》を着《き》させる母《はは》の手《て》。「母《はは》の声《こえ》」「母《はは》の手《て》」に守《まも》られて、人《ひと》は皆《みな》、大人《おとな》になっていく。

母《はは》の声《こえ》が世界《せかい》を結《むす》び、母《はは》の手《て》が平和《へいわ》へとつながっていく時《とき》、どれほど美《うつく》しい地球《ちきゅう》になることであろう。

九月九日

いかなる困難《こんなん》があろうが、ひとつひとつ地道《じみち》に努力《どりょく》し、そして待《ま》つことである。

希望《きぼう》を決《けっ》して失《うしな》わずに、時《とき》を知《し》り、時《とき》をつくり、時《とき》を待《ま》つことです。必《かなら》ずや、勝利《しょうり》の時《とき》は訪《おとず》れる。

九月十日

いかなる邸宅《ていたく》に住《す》もうが、貧《まず》しい小《ちい》さいあばら屋《や》に住《す》もうが、母《はは》は母《はは》である。

母《はは》の慈愛《じあい》の大《おお》きさと力《ちから》と行動《こうどう》が、真実《しんじつ》の心《こころ》の邸宅《ていたく》の大《おお》きさである。

九月十一日

遠《とお》く離《はな》れた他国《たこく》の人《ひと》も、身近《みぢか》の人《ひと》も、同《おな》じ人間《にんげん》である。
他者《たしゃ》の苦《くる》しみに胸《むね》を痛《いた》める、同苦《どうく》の心《こころ》。
他者《たしゃ》の幸福《こうふく》を願《ねが》う、やむにやまれぬ祈《いの》りの心《こころ》。
この女性《じょせい》の心《こころ》が、世界《せかい》に友情《ゆうじょう》を広《ひろ》げる「心《こころ》の国際化《こくさいか》」の扉《とびら》を開《ひら》く。

九月十二日

人生《じんせい》は、外見《がいけん》や美貌《びぼう》で、また財産《ざいさん》や資産《しさん》などで、幸福《こうふく》が決《き》まるのではない。

その人自身《ひとじしん》の宿命転換《しゅくめいてんかん》の力《ちから》と、その人《ひと》のもつ生命《いのち》の福運《ふくうん》で決《き》まる。

九月十三日

学《まな》びゆく女性《じょせい》は、幸福《こうふく》への世界《せかい》を広《ひろ》げる。
学《まな》びゆく女性《じょせい》は、人生《じんせい》の正《ただ》しき行路《こうろ》を知《し》ることができる。

九月十四日

人間《にんげん》、「肌身《はだみ》で感《かん》じる」「生命《いのち》で感《かん》じる」といった経験《けいけん》を通《とお》してしか、学《まな》べないものがある。

単《たん》なる知識《ちしき》だけなら、本《ほん》を読《よ》んだりして、一人《ひとり》で学《まな》べるかもしれないが、人間《にんげん》にとって最《もっと》も大切《たいせつ》な生《い》きる力《ちから》は、自発的《じはってき》な体《たい》験《けん》や、人《ひと》と人《ひと》との触《ふ》れあいのなかでこそ養《やしな》われるものだ。

九月十五日

胸中《きょうちゅう》の希望《きぼう》に光《ひかり》を注《そそ》ぎ、燃《も》えあがらせるものこそ、温《あたた》かな「励《はげ》まし」ではないだろうか。

「励《はげ》」ましという文字《もじ》には「万《まん》」の「力《ちから》」とある。まさに、人《ひと》びとに「万《まん》」の「力《ちから》」をおくるものこそ、心《こころ》からの「励《はげ》まし」である。

九月十六日

私の母《はは》は、成績《せいせき》については何《なに》も言《い》わなかったが、日頃《ひごろ》の生活《せいかつ》習慣《しゅうかん》などには厳《きび》しかった。

小《ちい》さい頃《ころ》、母《はは》によく言《い》われた。「他人《ひと》に迷惑《めいわく》をかけてはいけない」「嘘《うそ》をついてはいけない」と。少《すこ》し大《おお》きくなってからは、「自分《じぶん》で決意《けつい》したことは、責任《せきにん》をもってやり遂《と》げなさい」という言葉《ことば》が加《くわ》わった。

九月十七日

先哲《せんてつ》の教《おし》えに「親《おや》に何《なに》か良《よ》い物《もの》を差《さ》しあげようと思《おも》っても何《なに》もないときは、一日《いちにち》に二度《にど》三度《さんど》と笑顔《えがお》を見《み》せてあげなさい」とある。

この人間学《にんげんがく》の精髄《せいずい》を、生活《せいかつ》の劇《げき》のなかで賢《かしこ》く朗《ほが》らかに実践《じっせん》していきたい。

九月十八日

何《なに》よりも自分《じぶん》らしく生《い》きることである。世《よ》のため人《ひと》のために尽《つ》くしきって、この一生《いっしょう》を総仕上《そうしあ》げしよう、という決意《けつい》こそ大切《たいせつ》である。

九月十九日

自分自身《じぶんじしん》に生《い》ききる――これは簡単《かんたん》なようで、実《じつ》は大変《たいへん》に難《むずか》しい。

とかく人《ひと》は、華《はな》やかに見《み》える世界《せかい》に憧《あこが》れるものである。もっと自分《じぶん》にあった仕事《しごと》があるのではないかと、思《おも》い惑《まど》ったりもする。そのために、人《ひと》は、自分《じぶん》の拠《よ》って立《た》つ場所《ばしょ》を打《う》ち捨《す》てて、あちらこちらを掘《ほ》り返《かえ》す。そして、結局《けっきょく》は、何《なに》ものも掘《ほ》り当《あ》てることができないまま、貴重《きちょう》な人生《じんせい》を費《つい》やしてしまう場合《ばあい》が、あまりにも多《おお》い。

足下《そっか》を掘《ほ》れ、そこに泉《いずみ》あり、である。

九月二十日

価値《かち》ある人生《じんせい》を開《ひら》くもの——それは「今《いま》までどうであったか」ではない。「これからどう生《い》きるのか」、この力強《ちからづよ》い前向《まえむ》きの一念《いちねん》である。

九月二十一日

子育《こそだ》ては、ほめるのが七割《わり》、叱《しか》るのが三割《わり》というくらいの心《こころ》づもりでよいのではないか。

とくに子《こ》どもにとって、母親《ははおや》から激励《げきれい》され、ほめてもらった記憶《きおく》は、嬉《うれ》しく、いつまでも忘《わす》れないものだ。

九月二十二日

人生《じんせい》には、悲《かな》しみもある。苦《くる》しみもある。山《やま》もある。川《かわ》もある。谷《たに》もある。しかし、悲《かな》しみの川《かわ》が深《ふか》ければ深《ふか》いほど、苦《くる》しみの山《やま》が大《おお》きければ大《おお》きいほど、それを乗《の》り越《こ》えた喜《よろこ》びは深《ふか》く、幸《しあわ》せは大《おお》きい。

九月二十三日

「何《なん》のため」という、たしかな原点《げんてん》がある人《ひと》は強《つよ》い。この一点《いってん》が定《さだ》まっていれば、人生《じんせい》に迷《まよ》わない。苦《くる》しくても、へこたれない。まっすぐに伸《の》びていける。

九月二十四日

先哲《せんてつ》は「賢聖《けんせい》は罵詈《めり》して試《こころ》みるなるべし」と言《い》われた。その人《ひと》が本物《ほんもの》かどうかは、悪口《わるくち》や、非難《ひなん》を言《い》われてみればわかる。それに負《ま》けないのが本物《ほんもの》だ。

子《こ》どもにも、いざという時《とき》に信念《しんねん》を貫《つらぬ》き通《とお》せる強《つよ》さを養《やしな》わせたい。

九月二十五日

信頼《しんらい》できる人《ひと》、頼《たよ》れる人《ひと》、何《なん》でも相談《そうだん》できる人《ひと》——そういう人《ひと》をもち、自分《じぶん》もそういう人《ひと》になる。その人《ひと》は幸福《こうふく》である。

九月二十六日

絶対《ぜったい》に、あなたにはあなたにしかできない、この世《よ》の使命《しめい》がある。あなたでしか咲《さ》かせられない人生《じんせい》がある。

何《なに》を疑《うたが》ったとしても、このことだけは、疑《うたが》ってはならない。

九月二十七日

子《こ》どもの教育《きょういく》においては、早《はや》くから小《ちい》さく完成《かんせい》させようとする必要《ひつよう》はない。ひとつの型《かた》にはめようと強《し》いることは、いつか無理《むり》が現《あらわ》れてしまう。むしろ、大樹《たいじゅ》と育《そだ》つための根《ね》を張《は》らせることが、最《もっと》も重要《じゅうよう》であろう。

九月二十八日

「ありがとう」は奇跡《きせき》の言葉《ことば》である。
口《くち》に出《だ》せば、元気《げんき》が出《で》る。耳《みみ》に入《はい》れば、勇気《ゆうき》がわく。

九月二十九日

「自分《じぶん》なんかもうダメだ」と思《おも》うような瀬戸際《せとぎわ》の時《とき》がある。実《じっ》はその時《とき》こそが、自身《じしん》の新《あたら》しい可能性《かのうせい》を開《ひら》くチャンスなのである。わが人生《じんせい》を敗北《はいぼく》から勝利《しょうり》へ、不幸《ふこう》から幸福《こうふく》へと大転換《だいてんかん》しゆく分《わ》かれ目《め》が、ここにある。

九月三十日

母親《ははおや》になったからといって、自《みずか》らの成長《せいちょう》を忘《わす》れてはならない。つねにはつらつと若々《わかわか》しく、子《こ》どもにとって誇《ほこ》りとされる母親《ははおや》であってほしいと願《ねが》う。

十月

十月一日

一個《いっこ》の人間《にんげん》が、一生《いっしょう》に経験《けいけん》することにはかぎりがある。しかし、読書《どくしょ》によって、ほかの人《ひと》が経験《けいけん》したことを、自分《じぶん》のものとすることができる。人生《じんせい》の深《ふか》さ、世間《せけん》の広《ひろ》さを知《し》り、人間《にんげん》を洞《どう》察《さつ》し、社会《しゃかい》を見《み》る目《め》を養《やしな》うことができると言《い》ってよい。

十月二日

新《あら》たな歴史《れきし》は一人《ひとり》の挑戦《ちょうせん》から始《はじ》まる。偉大《いだい》な勝利《しょうり》は一人《ひとり》の戦《たたか》いから始《はじ》まる。

状況《じょうきょう》を嘆《なげ》いたり、人任《ひとまか》せにしてばかりいては、何《なに》も変《か》わらない。自分《じぶん》が変《か》われば、その分《ぶん》、世界《せかい》が変《か》わる。

十月三日

苦労《くろう》を避《さ》けてはならない。断《だん》じて悩《なや》みに勝《か》たなければならない。自分《じぶん》の宝《たから》は自分《じぶん》でつくる以外《いがい》にない。自分自身《じぶんじしん》が自分自身《じぶんじしん》で「よかった」「勝《か》った」と言《い》える人生《じんせい》の価値《かち》を創《つく》ることだ。その人《ひと》が栄光《えいこう》の人《ひと》、勝利《しょうり》の人《ひと》である。

十月四日

老《お》いを、単《たん》に死《し》に至《いた》るまでの衰《おとろ》えの時期《じき》とみるのか、それとも、人生《じんせい》の完成《かんせい》に向《む》けての総仕上《そうしあ》げの時《とき》ととらえるのか。同《おな》じ時間《じかん》を過《す》ごしても、人生《じんせい》の豊《ゆた》かさは天《てん》と地《ち》の違《ちが》いがある。まっ赤《か》な夕陽《ゆうひ》のような荘厳《そうごん》な生命《せいめい》を燃《も》やしゆくことだ。

十月五日

強《つよ》くなれば、悲《かな》しみさえも栄養《えいよう》になる。苦悩《くのう》が自分《じぶん》を深《ふか》めてくれる。自分《じぶん》が押《お》しつぶされそうな苦《くる》しみの底《そこ》で、初《はじ》めて、人生《じんせい》と生命《せいめい》の真髄《しんずい》が、心《こころ》に染《し》み通《とお》ってくる。だから、苦《くる》しんだからこそ、生《い》きなければならない。前《まえ》へ前《まえ》へ進《すす》むのである。

十月六日

誰《だれ》か一人《ひとり》でもいい、信頼《しんらい》して何《なん》でも話《はな》せるよき相談相手《そうだんあいて》をもつことが大切《たいせつ》だ。客観的《きゃっかんてき》に見《み》てくれて、自分《じぶん》のことを思《おも》ってくれる人《ひと》のアドバイスに耳《みみ》を傾《かたむ》けたほうが賢明《けんめい》である。

十月七日

素晴《すば》らしい恋愛《れんあい》は、実《じつ》は、誠実《せいじつ》で成熟《せいじゅく》した、「自立《じりつ》した個人《こじん》」と「自立《じりつ》した個人《こじん》」の間《あいだ》にしか生《う》まれない。自分《じぶん》を磨《みが》くことが大切《たいせつ》なのです。

十月八日

子《こ》どもには、思《おも》い出《で》をたくさんつくってあげることです。子《こ》どもたちのために、私は手品《てじな》をすることもあるし、ピアノを弾《ひ》くこともある。すべて、なんらかの思《おも》い出《で》をつくってあげたいとの気持《きも》ちなのです。

幼《おさな》き日《ひ》のよき思《おも》い出《で》は、一生《いっしょう》を支《ささ》える力《ちから》となるからです。

十月九日

親《おや》の恩《おん》は深《ふか》い。親《おや》を苦《くる》しませたり、悲《かな》しませたりしてはならない。親《おや》を喜《よろこ》ばせ、楽《たの》しませてあげよう、と努力《どりょく》できる人《ひと》は大人《おとな》である。その努力《どりょく》はまた、自分自身《じぶんじしん》の勝利《しょうり》に直結《ちょっけつ》していく。

十月十日

目標《もくひょう》に到達《とうたつ》するには、一歩《いっぽ》また一歩《いっぽ》と粘《ねば》り強《づよ》く積《つ》み重《かさ》ねていくしかありません。

その間《かん》、目《め》に見《み》えるような成果《せいか》があがらない時《とき》もある。しかし、努力《どりょく》を重《かさ》ねて、ある一定《いってい》のレベルに達《たっ》すると、一気《いっき》に目《め》の前《まえ》が開《ひら》けていく。ちょうど山《やま》の峰《みね》を越《こ》えた時《とき》、急《きゅう》に眼前《がんぜん》が開《ひら》けるように。そこまでが我慢《がまん》のしどころです。

十月十一日

人《ひと》は生《い》き方《かた》を通《とお》して、後世《こうせい》まで語《かた》り継《つ》がれる。その意味《いみ》では、偉大《いだい》な人生《じんせい》は、いつまでも生《い》き続《つづ》けるといってよい。

十月十二日

何《なに》があっても、「私は太陽《たいよう》なんだ！」と悠然《ゆうぜん》と生《い》きることだ。もちろん、曇《くも》りの日《ひ》もある。しかし、曇《くも》っていても、太陽《たいよう》はその厚《あつ》い雲《くも》の上《うえ》で変《か》わらずに輝《かがや》いている。苦《くる》しい時《とき》も、心《こころ》の輝《かがや》きを失《うしな》ってはならない。

十月十三日

聡明《そうめい》な自分自身《じぶんじしん》を築《きず》いていただきたい。社会《しゃかい》にあって、「あの人《ひと》は、さすがだ」と言《い》われる人格《じんかく》をつくることです。皆《みな》と協調《きょうちょう》し、皆《みな》をリードし、皆《みな》から尊敬《そんけい》される人生《じんせい》を歩《あゆ》んでいってほしい。

十月十四日

働《はたら》くこと、子《こ》を育《そだ》てること、妻《つま》であること。また娘《むすめ》であること、地域《ちいき》の一員《いちいん》であること、学《まな》ぶこと――それらが互《たが》いにぶつかりあい、悩《なや》みながらも、なおすべてを自分《じぶん》の成長《せいちょう》の糧《かて》にしようと心《こころ》が定《さだ》まった時《とき》、初《はじ》めて、女性《じょせい》は一個《いっこ》の太陽《たいよう》になれる。

十月十五日

本当《ほんとう》の幸福《こうふく》は——自分自身《じぶんじしん》の魂《たましい》のなかにある。
決意《けつい》の魂《たましい》、勇気《ゆうき》の魂《たましい》、人《ひと》びとに尽《つ》くす魂《たましい》のなかにある。

十月十六日

すべてに喜《よろこ》びを見《み》いだしていくことだ。自《じ》分《ぶん》が喜《よろこ》べば、周《しゅう》囲《い》も、さわやかになる。笑《え》顔《がお》が広《ひろ》がる。価《か》値《ち》が生《う》まれる。

十月十七日

どんなに絶体絶命《ぜったいぜつめい》の危機《きき》にあっても、最後《さいご》の最後《さいご》まで「希望《きぼう》はある」と信《しん》ずることだ。胸中《きょうちゅう》にある希望《きぼう》は無限《むげん》だからである。

十月十八日

誰《だれ》が見《み》ていようと、見《み》ていまいと、つねに人間《にんげん》として正《ただ》しい行動《こうどう》を貫《つらぬ》いている。いっさい恥《は》じるところがない。ゆえに心《こころ》は青空《あおぞら》の如《ごと》く晴《は》れ晴《ば》れとし、悠々《ゆうゆう》としていられる。

これこそ、優《すぐ》れた人物《じんぶつ》に共通《きょうつう》する楽《たの》しみであり、また誇《ほこ》りである。

十月十九日

声《こえ》は鏡《かがみ》であり、その人《ひと》の境涯《きょうがい》が、くっきりと映《うつ》し出《だ》される。

声《こえ》ひとつで、人《ひと》びとに希望《きぼう》を与《あた》え、納得《なっとく》と安心《あんしん》を広《ひろ》げ、正義《せいぎ》を奮《ふる》い起《お》こしていくことができる。

十月二十日

人《ひと》ではない。自分《じぶん》である。自分《じぶん》が成長《せいちょう》すれば周囲《しゅうい》も変《か》わる。自分《じぶん》を見《み》つめず、何《なに》を論《ろん》じ何《なに》を行《おこな》っても、無責任《むせきにん》であるし、大《おお》きな価値《かち》は生《う》めないであろう。

十月二十一日

背伸《せの》びをすることなく、つくろうことなく、しかし決《けっ》して怯《ひる》むことなく、その場《ば》その場《ば》で自分《じぶん》のもてる力《ちから》を、誠実《せいじつ》に真剣《しんけん》に出《だ》しきっていく。その人《ひと》こそ、平凡《へいぼん》に見《み》えて、豊《ゆた》かな知恵《ちえ》の人《ひと》であろう。

十月二十二日

すべての努力《どりょく》は、人生《じんせい》の宝《たから》です。勝利《しょうり》の宝《たから》であり、幸福《こうふく》の宝《たから》です。

十月二十三日

伸《の》びようとしている人《ひと》は美《うつく》しい。人生《じんせい》という旅《たび》は、足《あし》を止《と》めてしまえば、そこが終点《しゅうてん》である。生《い》きているかぎり、より高《たか》く、より深《ふか》く、広《ひろ》い何《なに》かを求《もと》めて、進歩《しんぽ》していきたい。

十月二十四日

誠実《せいじつ》にかなうものはない。誠実《せいじつ》さがないところに、愛情《あいじょう》もない。論理《ろんり》も包容力《ほうようりょく》も、ユーモアもなくなる。笑顔《えがお》も、知恵《ちえ》もなくなる。

誠実《せいじつ》が、人《ひと》びとの心《こころ》を動《うご》かす。誠実《せいじつ》が、人生《じんせい》の勝利《しょうり》のカギである。

十月二十五日

教育《きょういく》は、「共育《きょういく》（共《とも》に育《そだ》つ）」です。

子《こ》どもは不思議《ふしぎ》です。子《こ》どもには、まぶしい生命《いのち》の輝《かがや》きがある。子《こ》どもの元気《げんき》な姿《すがた》を見《み》れば、大人《おとな》も元気《げんき》になる。

にぎやかな子《こ》どもの声《こえ》があるところ、そこには希望《きぼう》がある。平和《へいわ》がある。生《い》きる喜《よろこ》びがわいてくる。

十月二十六日

人《ひと》に尽《つ》くそうと決《き》め、勇気《ゆうき》を出《だ》して行動《こうどう》を開始《かいし》した時《とき》、もっと強《つよ》い自分《じぶん》になれる。人間《にんげん》としての器《うつわ》が、もっと大《おお》きくなる。

十月二十七日

青春時代《せいしゅんじだい》、いくら華《はな》やかに虚栄《きょえい》を張《は》っても、それだけでは結《けっ》局《きょく》、年《とし》をとって福運《ふくうん》は消《き》えてしまう。虚栄《きょえい》には幸福《こうふく》はない。地道《じみち》の中《なか》にこそ、幸福《こうふく》の道《みち》がある。

十月二十八日

小《ち》さい頃《ころ》から、子《こ》どもの傾向《けいこう》というものを賢明《けんめい》に見極《みきわ》めていくことです。そうすれば、大《おお》きくなって反抗《はんこう》するような時期《じき》を迎《むか》えたとしても、動《どう》じないですむ。

十月二十九日

同《おな》じ一生《いっしょう》であるならば、喜《よろこ》んで生《い》きたほうが得《とく》である。同《おな》じ行動《こうどう》をするなら、喜《よろこ》んで行動《こうどう》したほうが価値的《かちてき》である。愚痴《ぐち》や義務感《ぎむかん》で日々《ひび》を灰色《はいいろ》に覆《おお》うよりも、喜《よろこ》びを創《つく》り出《だ》していこうとする生《い》き方《かた》のほうが、より創造的《そうぞうてき》である。

十月三十日

「あのうちが、こうだから」とか、「このうちは、ああしていた」と気《き》にして、何《なに》か同《おな》じようでなければならないと考《かんが》えるのは、愚《おろ》かです。他人《たにん》と比較《ひかく》しても、他人《たにん》と同《おな》じにはなれないし、なる必要《ひつよう》もない。それでは、にせものをつくります。形式《けいしき》をつくります。見栄《みえ》っ張《ぱ》りをつくり、体裁《ていさい》をつくってしまう。

十月三十一日

一時《いっとき》の勝《か》ち負《ま》けよりも大事《だいじ》なことは、何《なに》か。それは、「頑張《がんば》ろう！　戦《たたか》いきろう！」という熱《あつ》い情熱《じょうねつ》が燃《も》えているかどうかです。

十一月

十一月一日

人間教育《にんげんきょういく》の根本《こんぽん》は、愛情《あいじょう》です。愛情《あいじょう》によって育《そだ》てられた人《ひと》は、競争《きょうそう》によって他人《たにん》を蹴落《けお》とすのではなく、社会《しゃかい》のため、人《ひと》びとのために貢献《こうけん》する生《い》き方《かた》を志向《しこう》していくものです。

十一月二日

あなたの成長《せいちょう》を待《ま》っている人《ひと》がいる。
あなたの優《やさ》しさを待《ま》っている人《ひと》がいる。
あなたの勝利《しょうり》を待《ま》っている人《ひと》がいる。

十一月三日

「ああ、あの人《ひと》、あんなきれいなかっこうして！」と、妬《ねた》んでもしょうがない。自分《じぶん》が、もっと魅力的《みりょくてき》になればいい。人《ひと》がどうあれ、環境《かんきょう》や状況《じょうきょう》がどうあれ、自分《じぶん》が成長《せいちょう》して、人《ひと》に影響《えいきょう》を与《あた》えていく。それが、「創価《そうか》」すなわち「価値創造《かちそうぞう》」の生《い》き方《かた》である。

十一月四日

恩師《おんし》・戸田先生《とだせんせい》は言《い》われた。

「女性《じょせい》は、常《つね》に勇敢《ゆうかん》に働《はたら》ききっていく生命力《せいめいりょく》を持《も》ちなさい」

「若《わか》さとは、生命力《せいめいりょく》から湧《わ》くものだ」

年《とし》は若《わか》くても、老《お》いた感《かん》じを受《う》ける人《ひと》がいる。何歳《なんさい》になっても、若々《わかわか》しく輝《かがや》いている。その差《さ》は、「生命力《せいめいりょく》」にある。

十一月五日

子《こ》どもの心《こころ》を動《うご》かすのは、言葉《ことば》ではない。心《こころ》です。その心《こころ》も、真剣《しんけん》でなければ、必死《ひっし》でなければ、相手《あいて》の心《こころ》に響《ひび》くことはない。

十一月六日

たじろいではならない。もう泣《な》いてはならない。もし泣《な》くならば、友《とも》のため、人《ひと》のために、人生《じんせい》の応援《おうえん》の涙《なみだ》を流《なが》そうではないか。

十一月七日

四十代《しじゅうだい》からが、女性《じょせい》のひとつの勝負《しょうぶ》です。それまでは、焦《あせ》らず、着々《ちゃくちゃく》と、崩《くず》れざる福徳《ふくとく》の土台《どだい》を固《かた》めていくことです。

十一月八日

父親《ちちおや》が息子《むすこ》を厳《きび》しく叱《しか》ると、反発《はんぱつ》されるだけの場合《ばあい》がある。母親《ははおや》が叱《しか》った場合《ばあい》には、比較的《ひかくてき》、心《こころ》に入《はい》るとされる。いちばんいけないのは、一緒《いっしょ》になって叱《しか》ることである。これでは、子《こ》どもは逃《に》げ場《ば》がなくなるからだ。

十一月九日

宿命《しゅくめい》を真正面《ましょうめん》から見据《みす》えて、その本質《ほんしつ》の意味《いみ》に立《た》ち返《かえ》れば、いかなる宿命《しゅくめい》も自身《じしん》の人生《じんせい》を深《ふか》めるための試練《しれん》である。

そして、宿命《しゅくめい》と戦《たたか》う自分《じぶん》の姿《すがた》が、多《おお》くの人《ひと》の鏡《かがみ》となっていくことを忘《わす》れまい。

十一月十日

人生《じんせい》にあって、笑《わら》いがないということは、花《はな》がパッと開《ひら》かないのと同《おな》じだ。

いかなる葛藤《かっとう》の社会《しゃかい》であっても、ユーモアだけは忘《わす》れたくない。

十一月十一日

夫婦《ふうふ》の関係《かんけい》は、家族《かぞく》の人間関係《にんげんかんけい》の基本《きほん》です。軸《じく》であり、柱《はしら》です。

夫婦《ふうふ》のあり方《かた》が、子《こ》どもの成長《せいちょう》にも大《おお》きな影響《えいきょう》を及《およ》ぼします。

子《こ》どもの成長《せいちょう》は、夫婦《ふうふ》の向上《こうじょう》です。

子《こ》どもの幸福《こうふく》は、夫婦《ふうふ》の勝利《しょうり》です。

十一月十二日

欲《ほ》しいものが、すぐ手《て》に入《はい》るのが幸福《こうふく》ではない。悩《なや》みがないのが幸福《こうふく》なのではない。甘《あま》やかされては、卑《いや》しく、心《こころ》の貧《まず》しい、わがままな人間《にんげん》になってしまう。

たとえ今《いま》は苦《くる》しくとも、希望《きぼう》を見《み》つめ、苦労《くろう》の坂《さか》を一歩《いっぽ》一歩《いっぽ》、上《のぼ》っていく。少《すこ》しずつ、自分《じぶん》の力《ちから》で自分《じぶん》の夢《ゆめ》を実現《じつげん》していく。その人《ひと》こそ、本当《ほんとう》の深《ふか》い喜《よろこ》びを知《し》る人《ひと》である。また、ここに、人間《にんげん》としての美《うつく》しい人生《じんせい》がある。

十一月十三日

今《いま》、自分《じぶん》たちは何《なに》をすべきか、その目的《もくてき》を忘《わす》れての恋愛《れんあい》は邪《じゃ》道《どう》である。互《たが》いに目的《もくてき》を達成《たっせい》していこうと励《はげ》ましあっていくことが大切《たいせつ》である。

十一月十四日

子《こ》どもは大《おお》きくなれば、親《おや》の手《て》を次第《しだい》に離《はな》れていくものだが、その大事《だいじ》な離陸《りりく》の時《とき》が、小学校低学年《しょうがっこうていがくねん》の時期《じき》です。この時期《じき》こそ、お母《かあ》さんが心《こころ》して子《こ》どもと向《む》きあうべき時《とき》です。

十一月十五日

自分《じぶん》が決《き》めた使命《しめい》の道《みち》を、人生《じんせい》の最終章《さいしゅうしょう》まで、悔《く》いなく断固《だんこ》と貫《つらぬ》きながら、生《い》き抜《ぬ》き、戦《たたか》い抜《ぬ》いていくことだ。

そして自分自身《じぶんじしん》が、勝利《しょうり》の満足《まんぞく》をすることだ。「誰《だれ》かのように」ではなく、「私らしく」生《い》きていくのだ。

十一月十六日

いつもいつも太陽《たいよう》の如《ごと》く、満々《まんまん》たる生命力《せいめいりょく》をたたえ、さわやかな笑顔《えがお》で、誰《だれ》からも慕《した》われ信頼《しんらい》される良識《りょうしき》の人《ひと》でありたい。

十一月十七日

順調《じゅんちょう》ばかりの人生《じんせい》など、あり得《え》ない。たとえ、不本意《ふほんい》な環境《かんきょう》であったとしても、いっさいを満足《まんぞく》の方向《ほうこう》へと回転《かいてん》させながら、自分自身《じぶんじしん》の幸福《こうふく》の花園《はなぞの》を、咲《さ》き薫《かお》らせてほしい。

十一月十八日

師《し》を慕《した》い、師《し》に近《ちか》づこうと努力《どりょく》し続《つづ》ける一念《いちねん》こそが、自分自《じぶんじ》身《しん》に限《かぎ》りない成長《せいちょう》をもたらす。

十一月十九日

人間《にんげん》、生老病死《しょうろうびょうし》は避《さ》けられない。長《なが》い一生《いっしょう》のうちには、自分《じぶん》や家族《かぞく》が病気《びょうき》に罹《かか》ることも当然《とうぜん》ある。

病気《びょうき》になること自体《じたい》は、不幸《ふこう》でも何《なん》でもない。不幸《ふこう》なのは、病気《びょうき》に負《ま》けることである。

十一月二十日

自《みずか》らの人生経験《じんせいけいけん》を生《い》かしながら、なお日々《ひび》新《あら》たに成長《せいちょう》していく人《ひと》こそ、人生《じんせい》の達人《たつじん》であろう。

十一月二十一日

「自分自身《じぶんじしん》が進歩《しんぽ》しよう」「文化《ぶんか》の向上《こうじょう》を追求《ついきゅう》しよう」という親《おや》の生命《いのち》の躍動《やくどう》のなかに育《はぐく》まれる子《こ》どもたちは、幸《しあわ》せである。親《おや》が子《こ》どもに残《のこ》すものとは、結局《けっきょく》、そのような息吹《いぶき》に連《つら》ならせることだと思《おも》う。

十一月二十二日

心《こころ》の扉《とびら》を開《ひら》こう！　多《おお》くの善人《ぜんにん》、多《おお》くの友人《ゆうじん》、そして多《おお》くの先輩《せんぱい》に囲《かこ》まれて、初《はじ》めて、豊《ゆた》かな自分自身《じぶんじしん》の発見《はっけん》があるからだ。

十一月二十三日

〝子《こ》どもの笑顔《えがお》は万言《まんげん》に勝《まさ》る〟という。大人《おとな》たちがどんなに言《こと》葉《ば》で平和《へいわ》を訴《うった》えるよりも、それ以上《いじょう》に、人《ひと》びとの心《こころ》を動《うご》かすのが、子《こ》どもたちの笑顔《えがお》であり、純真《じゅんしん》な心《こころ》である。

十一月二十四日

生《せい》も歓喜《かんき》、死《し》も歓喜《かんき》。
充実《じゅうじつ》した人生《じんせい》を悔《く》いなく生《い》ききった人《ひと》に、死《し》の恐怖《きょうふ》はない。

十一月二十五日

生《い》きる喜《よろこ》びがほしい、と嘆《なげ》いている人《ひと》を、時々《ときどき》、見《み》かける。しかし、本当《ほんとう》の喜《よろこ》びは、人《ひと》から与《あた》えられるものではない。自分《じぶん》でつくり出《だ》すものだ。

十一月二十六日

家庭《かてい》のあり方《かた》は、必《かなら》ずしも同《おな》じではない。家庭《かてい》というのが夫婦《ふうふ》二人《ふたり》で奏《かな》でる音楽《おんがく》ならば、つくられる曲《きょく》は家庭《かてい》によって、自《おの》ずと異《こと》なる。それぞれの家庭《かてい》が、それぞれに美《うつく》しい曲《きょく》を奏《かな》でる――そこに社会《しゃかい》の平和《へいわ》と安定《あんてい》もあるといえよう。

十一月二十七日

苦労《くろう》し、頑張《がんば》った分《ぶん》だけ、喜《よろこ》びも倍《ばい》になる。それが人生《じんせい》の道《どう》理《り》です。

最初《さいしょ》は誰《だれ》でも、なかなか思《おも》い通《どお》りにはいかないものです。しかし、あきらめずに挑戦《ちょうせん》を続《つづ》け、壁《かべ》を乗《の》り越《こ》えていけば、それが自信《じしん》へと変《か》わっていく。思《おも》いもかけなかった自分《じぶん》の力《ちから》に気《き》づくことができる。

十一月二十八日

浅《あさ》い人間《にんげん》には、浅《あさ》い恋愛《れんあい》しかできない。本当《ほんとう》の恋愛《れんあい》をするなら、本気《ほんき》で自分《じぶん》をつくるのです。

十一月二十九日

大教育者《だいきょういくしゃ》ペスタロッチは、「家庭《かてい》は、道徳上《どうとくじょう》の学校《がっこう》である」と言《い》った。

知識《ちしき》や技術《ぎじゅつ》を身《み》につける所《ところ》はたくさんあっても、人間《にんげん》としての正《ただ》しい生《い》き方《かた》を学《まな》ぶことができる場《ば》は少《すく》ない。家庭《かてい》こそが、人間《にんげん》を磨《みが》く第一《だいいち》の学舎《まなびや》である。

十一月三十日

友《とも》のために、社会《しゃかい》のために、あえて悩《なや》みを背負《せお》っていく。どうしたら、あの人《ひと》が立《た》ちあがるか。どうしたら、この人《ひと》を勇気《ゆうき》づけられるか——。こうした大《おお》きな悩《なや》みに、自分《じぶん》の小《ちい》さな悩《なや》みは、全部《ぜんぶ》、包《つつ》まれ、昇華《しょうか》されていく。

十二月

十二月一日

幼《おさな》い命《いのち》に注《そそ》がれた母《はは》の愛《あい》は、一生《いっしょう》を支《ささ》えるエネルギーです。愚直《ぐちょく》な母《はは》でいい。時《とき》には失敗《しっぱい》し、時《とき》にはおっちょこちょいで、時《とき》に感情《かんじょう》が爆発《ばくはつ》することもある。しかし、つねに一生懸命《いっしょうけんめい》に生《い》きることです。

心《こころ》の奥《おく》の奥《おく》に刻《きざ》み込《こ》まれた、親《おや》の愛《あい》と生《い》き方《かた》が、マグマのごとく、子《こ》どものエネルギー源《げん》となって、一生《いっしょう》を支《ささ》えていくのです。

十二月二日

「いつか」ではない。「今《いま》」である。この時《とき》を完全燃焼《かんぜんねんしょう》せずして、真《しん》の人生《じんせい》はあり得《え》ない。

十二月三日

見栄《みえ》や虚栄《きょえい》というのは、「人《ひと》にどう見《み》られるか」ばかりを気《き》にして、自分《じぶん》を自分《じぶん》以上《いじょう》に見《み》せようと、飾《かざ》り立《た》てることです。しかし、そんなものは幻《まぼろし》です。

虚栄《きょえい》の人《ひと》は、背伸《せの》びをして、いつも、つま先立《さきだ》ちで歩《ある》いているようなものです。それでは疲《つか》れてしまうし、生《い》きること自体《じたい》が苦《くる》しくなってしまう。虚栄《きょえい》がなければ、人生《じんせい》は何百倍《なんびゃくばい》も楽《たの》しく生《い》きられるのです。

十二月四日

さまざまな悩《なや》みと戦《たたか》いながら、前《まえ》を向《む》いて、希望《きぼう》に燃《も》えて生《い》き抜《ぬ》いていく、けなげなお母《かあ》さん！

人《ひと》がなんと言《い》おうと、子《こ》どもをとことん信《しん》じ、守《まも》り、太陽《たいよう》のように照《て》らしていく、優《やさ》しいお母《かあ》さん！

どんなに、よその家《いえ》の子《こ》がよく見《み》えようと、「うちは、うちよ」と笑《わら》いとばす、朗《ほが》らかなお母《かあ》さん！

人《ひと》のため、社会《しゃかい》のために奔走《ほんそう》し、なかなか、わが家《や》を顧《かえり》みる時間《じかん》がなくとも、その尊貴《そんき》な後《うし》ろ姿《すがた》で、皆《みな》を力強《ちからづよ》く引《ひ》っ張《ぱ》っている、たくましいお母《かあ》さん！

十二月五日

人生《じんせい》、最後《さいご》の最後《さいご》まで戦《たたか》いきった人《ひと》は美《うつく》しい。歳月《さいげつ》の風化作《ふうかさ》用《よう》も、そのような人物《じんぶつ》には及《およ》ばない。いや、むしろ、月日《つきひ》がたつほど、その存在《そんざい》は一段《いちだん》と大《おお》きく光《ひか》っていくものだ。

十二月六日

恩師《おんし》・戸田先生《とだせんせい》は、よくおっしゃっていた。

「人生《じんせい》は、住《す》む所《ところ》、食《た》べる物《もの》、着《き》る物《もの》に関係《かんけい》なく楽《たの》しむことができる。この法則《ほうそく》を真《しん》に知《し》るならば、人生《じんせい》は幸福《こうふく》なのだ。何事《なにごと》も感情的《かんじょうてき》になるな。何事《なにごと》も畏《おそ》れるな」と。

まさに、万般《ばんぱん》に通《つう》ずる人生《じんせい》の極意《ごくい》です。

十二月七日

いちばん大事《だいじ》なことは、どんな場合《ばあい》でも「自分《じぶん》なんか、ダメだ」と思《おも》わないこと。自分《じぶん》をいじめないこと。自分《じぶん》で自分《じぶん》を励《はげ》ますことです。落《お》ち込《こ》んでしまった自分《じぶん》の心《こころ》を、自分《じぶん》で「よいしょ」ともちあげることです。

あなたは素晴《すば》らしい人《ひと》なんだから、そんな素晴《すば》らしい自分《じぶん》をいじめてはいけない。人《ひと》が何《なん》とけなそうが、関係《かんけい》ない。

十二月八日

人《ひと》びとのために尽《つ》くす――その生《い》き方《かた》こそが、子《こ》どもの心《こころ》に鮮《あざ》やかに投影《とうえい》され、無言《むごん》のうちに種《たね》を植《う》えていく。

十二月九日

真実《しんじつ》の慈愛《じあい》とは、相手《あいて》によって決《き》まるものではない。相手《あいて》がどうあろうと、太陽《たいよう》が万物《ばんぶつ》を照《て》らすように、あらゆる人《ひと》びとを愛《あい》し慈《いつく》しみ包容《ほうよう》しゆく、心広々《こころひろびろ》とした揺《ゆ》るがぬ境涯《きょうがい》である。

十二月十日

愛情《あいじょう》のない母親《ははおや》は、まずいない。しかし、その愛情《あいじょう》の注《そそ》ぎ方《かた》に、手落《てお》ちや、気《き》ままや、気《き》まぐれがあれば、かえって子《こ》どもの人格《じんかく》を傷《きず》つけてしまいかねない。

子《こ》どもの心《こころ》を深《ふか》く理解《りかい》し、その心《こころ》の流《なが》れにそって導《みちび》いていく、賢明《けんめい》な船頭《せんどう》でありたい。

十二月十一日

打《う》ち続《つづ》く試練《しれん》に、くじけそうになった時《とき》は、天《てん》を仰《あお》ぎ、大《おお》きく息《いき》を吸《す》ってみることだ。

王者赫々《おうじゃかっかく》たる太陽《たいよう》の笑顔《えがお》が、必《かなら》ずや励《はげ》ましてくれるに違《ちが》いない。

十二月十二日

一日《いちにち》たてば、それだけ新《あたら》しい成長《せいちょう》をし、新《あたら》しい進歩《しんぽ》を遂《と》げるのが、子《こ》どもです。

その新《あたら》しい成長《せいちょう》や新《あたら》しい進歩《しんぽ》が、親《おや》や教師《きょうし》にとって新《あたら》しい発見《はっけん》となり、新《あたら》しい感動《かんどう》になっていく。その繰《く》り返《かえ》しのなかに、育児《いくじ》や人間教育《にんげんきょういく》の醍醐味《だいごみ》がある。

十二月十三日

「学《がく》は光《ひかり》」「無学《むがく》は闇《やみ》」——学《まな》び続《つづ》ける人《ひと》は美《うつく》しい。学《まな》ぶ姿《すがた》は、すがすがしい。一歩《いっぽ》、深《ふか》い人生《じんせい》を生《い》きることができる。

十二月十四日

いくら財産《ざいさん》を残《のこ》しても、それで子《こ》どもが幸福《こうふく》になるとはかぎらない。かえって、不幸《ふこう》にしてしまう場合《ばあい》だってある。親《おや》が信念《しんねん》を貫《つらぬ》き、懸命《けんめい》に生《い》き抜《ぬ》いた姿《すがた》そのものが、最高《さいこう》の遺《い》産《さん》です。

十二月十五日

目《め》の前《まえ》の山《やま》を登《のぼ》ることだ。山《やま》に登《のぼ》れば、ともかく足《あし》は鍛《きた》えられる。鍛《きた》えられた分《ぶん》、次《つぎ》のもっと大《おお》きな山《やま》に挑戦《ちょうせん》できる。この繰《く》り返《かえ》しである。そして、登《のぼ》った山頂《さんちょう》から、もっと広《ひろ》い人生《じんせい》が見《み》えてくる。

十二月十六日

完璧《かんぺき》な母親《ははおや》などいません。欠点《けってん》も長所《ちょうしょ》もあるから、人間《にんげん》なのです。そこに人間《にんげん》らしさがある。だからこそ、子《こ》どもも安心《あんしん》できるのです。自分《じぶん》らしくてよいのです。

十二月十七日

結果《けっか》は大事《だいじ》である。しかし、そこへ向《む》かうプロセス（過程《かてい》）は、ある意味《いみ》で、結果以上《けっかいじょう》に大切《たいせつ》である。その人《ひと》が何《なに》をしようとしているのか。何《なに》を願《ねが》い、目指《めざ》し、どう未来《みらい》へと生《い》きているのか。その姿《すがた》にこそ、何《なに》ものにもかえがたい人生《じんせい》の躍動《やくどう》がある。その人《ひと》の人間《にんげん》としての精髄《せいずい》がある。

十二月十八日

ありがたいことに、私は妻《つま》から、愚痴《ぐち》らしいことを、いっさい聞《き》いたことがない。愚痴《ぐち》というのは、今《いま》さら言《い》っても仕方《しかた》のないことだ。「言《い》わない」と割《わ》りきってしまえば、たいしたことではなくなる——というのが、妻《つま》の言《い》い分《ぶん》である。自己《じこ》を律《りっ》するその強《つよ》さに、私はずいぶん支《ささ》えられてきたのかもしれない。

そして妻《つま》は何《なに》ごとにも感謝《かんしゃ》を忘《わす》れない。一見悪《いっけんわる》いことのようであっても、〝これでまた鍛《きた》えられる、成長《せいちょう》できる。だからありがたいことだ〟——そう思《おも》えば、愚痴《ぐち》はなくなる、朗《ほが》らかでいられる、と。

十二月十九日

感謝《かんしゃ》の心《こころ》は美《うつく》しい。自《みずか》らが縁《えん》した人《ひと》を大事《だいじ》にしていこうという心《こころ》の余裕《よゆう》が、人生《じんせい》を豊《ゆた》かにする。美《うつく》しくする。

十二月二十日

雪《ゆき》のように純白《じゅんぱく》な子《こ》どもの心《こころ》は、その人生《じんせい》の揺籃期《ようらんき》に出合《であ》った環境《かんきょう》によって、よくも悪《わる》くも、どのようにでも染《そ》め上《あ》がってしまう。

お母《かあ》さんの日々《ひび》の行動《こうどう》すべてが、子《こ》どもの心《こころ》にかけがえのない人生《じんせい》の財産《ざいさん》として残《のこ》り、生《い》きる力《ちから》となっていくものである。

十二月二十一日

どんな分野《ぶんや》であれ、高《たか》い目標《もくひょう》を目指《めざ》して頑張《がんば》っていけば、すべてに通《つう》じていく。

努力《どりょく》すること。耐《た》えること。あきらめないこと。弱《よわ》い自分《じぶん》に打《う》ち勝《か》つこと。人生《じんせい》にとって必要《ひつよう》な、そうしたいっさいが含《ふく》まれていく。

なんであれ、徹《てっ》することだ。徹《てっ》した人《ひと》にはかなわない。

十二月二十二日

テレビを見《み》て楽《たの》しむのもよいし、そこから学《まな》べることもたくさんある。

しかし、テレビの中《なか》の華《はな》やかさは、幻《まぼろし》のようなものです。虚《きょ》像《ぞう》に振《ふ》り回《まわ》されては、賢明《けんめい》な生《い》き方《かた》はできません。

十二月二十三日

結婚《けっこん》が、すなわち幸福《こうふく》であると錯覚《さっかく》する人《ひと》も多《おお》い。当然《とうぜん》、結婚《けっこん》は自由《じゆう》である。しかし、周囲《しゅうい》の人《ひと》びとの反対《はんたい》を押《お》しきり、恋愛《れんあい》に溺《おぼ》れ、後悔《こうかい》の涙《なみだ》で苦《くる》しんでいる人《ひと》も多《おお》くいるということを、知《し》らねばならない。

より多《おお》くの善人《ぜんにん》、多《おお》くの友人《ゆうじん》、そして多《おお》くの先輩《せんぱい》に囲《かこ》まれて、初《はじ》めて、恵《めぐ》まれた自分自身《じぶんじしん》の発見《はっけん》がある。

十二月二十四日

冬《ふゆ》の寒《さむ》さを知《し》る人《ひと》こそが、春《はる》の暖《あたた》かさを実感《じっかん》できる。苦《くる》しみの闇《やみ》が深《ふか》かった分《ぶん》だけ、大《おお》きな幸福《こうふく》の朝《あさ》が光《ひか》るのである。どんな運命《うんめい》も価値《かち》に転換《てんかん》していく人《ひと》——それが、人間《にんげん》としての勝利者《しょうりしゃ》であり、王者《おうじゃ》であろう。

十二月二十五日

人生《じんせい》は、順調《じゅんちょう》な時《とき》だけではない。時《とき》に、思《おも》いもかけなかったような苦難《くなん》に出合《であ》うことがある。

しかし、いくら泣《な》き言《ごと》を言《い》い、運命《うんめい》を嘆《なげ》いても、始《はじ》まらない。心強《こころづよ》く生《い》きる人《ひと》が、本当《ほんとう》の幸福《こうふく》をつかむことができる。

十二月二十六日

私たちの心《こころ》を明朗《めいろう》に
楽《たの》しげにさせてくれる
母《はは》の輝《かがや》かしい振舞《ふるま》いよ！
母《はは》には
上流階級《じょうりゅうかいきゅう》も
下流階級《かりゅうかいきゅう》もない。
何《なに》も着飾《きかざ》らなくても
そのままが大女優《だいじょゆう》だ。

十二月二十七日

どのように過《す》ごしても一日《いちにち》は一日《いちにち》、一生《いっしょう》は一生《いっしょう》である。何《なに》かあるたびに、これはいやだ、つまらない、おもしろくない、と不平不満《ふへいふまん》にとらわれては損《そん》であるし、価値《かち》がない。

どこに行《い》っても、そこで楽《たの》しみをつくり、成長《せいちょう》と喜《よろこ》びの道《みち》を開《ひら》いていく。つねに、そういう方向《ほうこう》へ自身《じしん》の心《こころ》の舵《かじ》をとっていくことが大事《だいじ》である。

十二月二十八日

人生《じんせい》は、誰《だれ》につくか、誰《だれ》とともに進《すす》むか、これで大《おお》きく決《き》まる。

策略《さくりゃく》の権力者《けんりょくしゃ》もいる。悪魔《あくま》の如《ごと》き虚栄家《きょえいか》もいる。貪欲《どんよく》で狡猾《こうかつ》な人間《にんげん》もいる。決《けっ》して騙《だま》されてはならない。

悪人《あくにん》を近《ちか》づけるな！

善友《ぜんゆう》と交《まじ》わることだ。

十二月二十九日

母親《ははおや》が自信《じしん》をもって、生《い》き生《い》きと人生《じんせい》を歩《あゆ》んでいく。希望《きぼう》に向《む》かって、朗《ほが》らかに成長《せいちょう》していく――。

その輝《かがや》く姿《すがた》こそが、子《こ》どもに生《い》きる原動力《げんどうりょく》を与《あた》え、子《こ》どもの素晴《すば》らしい可能性《かのうせい》を育《はぐく》む大地《だいち》となっていくのです。

十二月三十日

新《あたら》しい世紀《せいき》を創《つく》るものは、青年《せいねん》の熱《ねつ》と力《ちから》である。

そして、その熱《ねつ》と力《ちから》を呼《よ》び起《お》こしていく太陽《たいよう》こそ、勇気《ゆうき》の母《はは》たちの、たゆみない行動《こうどう》である。

十二月三十一日

大晦日《おおみそか》
全人類《ぜんじんるい》の
幸《さち》祈《いの》る

池田大作（いけだ・だいさく）

1928年1月、東京生まれ。創価学会名誉会長。創価学会インタナショナル（SGI）会長。創価大学、アメリカ創価大学、創価学園、ボストン21世紀センター、民主音楽協会、東京富士美術館、東洋哲学研究所、戸田記念国際平和研究所などを設立。世界各国の知性との対話を重ね、平和、文化、教育運動を推進。国連平和賞をはじめ、世界の各都市から名誉市民の称号、「世界桂冠詩人」賞など多数受賞。

モスクワ大学、グラスゴー大学などの名誉博士。北京大学などの名誉教授。主な著書に『人間革命』（全12巻）、対談集は『二十一世紀への対話』（A・トインビー）、『人間革命と人間の条件』（A・マルロー）、『二十世紀の精神の教訓』（M・ゴルバチョフ）、『地球対談　輝く女性の世紀へ』（H・ヘンダーソン）など多数。

女性に贈ることば365日

2006年11月18日　第1刷発行
2013年8月6日　第77刷発行

著　者　池田大作
発行者　下村のぶ子
発行所　株式会社　海竜社
〒104-0044　東京都中央区明石町11-15
電話　03-3542-9671
FAX　03-3541-5484
郵便振替口座　00110-9-44886
ホームページ　http://www.kairyusha.co.jp

装　訂　三村 淳
印刷・製本所　図書印刷株式会社

落丁本、乱丁本はおとりかえします

ISBN978-4-7593-0952-2　C0095